cathod

Mae rhai o'r storïau hyn wedi gweld golau dydd o'r blaen yn y cyfrolau *Sbectol Gam* a *Mwys a Macabr* (Y Lolfa) ac yn y cylchgronau *Tu Chwith*, *Taliesin*, *Golwg*, *Y Ddraig* a *Lingo*. Diolch i'r golygyddion.

Diolch arbennig i Eiry Jones am olygu'r gwaith yn ei ffordd drylwyr a gofalus arferol.

Mihangel Morgan

cathod a chŵn

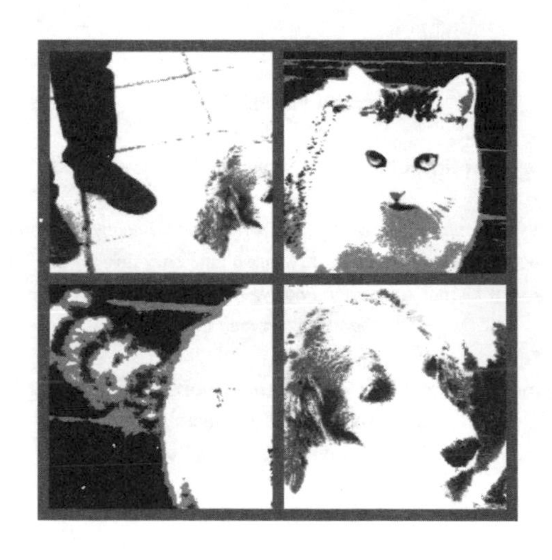

y Lolfa

Argraffiad cyntaf: 2000

Dymuna'r cyhoeddwyr ddiolch am gymorth ariannol Cyngor Celfyddydau Cymru tuag at gyhoeddi'r gyfrol hon.
Diolch hefyd i Mali, Aran a Losin.

Clawr: Ceri Jones

Rhif Llyfr Rhyngwladol: 0 86243 529 3

Cyhoeddwyd yng Nghymru
ac argraffwyd ar bapur di-asid a rhannol eilgylch
gan Y Lolfa Cyf., Talybont, Ceredigion SY24 5AP
e-bost ylolfa@ylolfa.com
y we www.ylolfa.com
ffôn (01970) 832 304
ffacs 832 782
isdn 832 813

c y n n w y s

A Dyfod Adref yn Ddigerydd

HAUL AR Y CAE a bechgyn yn chwarae rygbi. Yr unig wylwyr oedd Col a Ken a Mal. Ond 'doedden nhw ddim yn gwylio a gweud y gwir. Gorwedd 'nôl ar y bryncyn roedden nhw. 'Doedd dim diddordeb gan yr un ohonyn nhw mewn gemau ac roedd pob un wedi dyfeisio rhyw esgus dros beidio â chwarae. Dywedasai Col fod asma arno fe. Dywedasai Ken fod ganddo farwca. A honasai Mal fod ganddo glefyd y gwair. Mewn gwirionedd roedd Col yn rhy dew i chwarae, roedd Ken yn fyr ei olwg ac roedd Mal yn sioni-ferch eiddil. A gweud y gwir eto roedd y tri yn ddiog hefyd ac roedd ganddynt esgusion parod bob wythnos i gael tynnu allan o wersi addysg gorfforol a chwaraeon. Roedd yr athro, Mr Evans, wedi rhoi'r gorau iddyn nhw fel achosion anobeithiol. Llwyddasent i osgoi chwaraeon am gyfnod mor hir fel bod Evans wedi rhoi'r enw Y Cleifion arnyn nhw. Serch hynny roedden nhw'n gorfod mynd i'r cae gyda'r lleill, 'doedd dim modd i neb gael ei ryddhau o'r ddyletswydd honno.

Bu'r bechgyn hyn yn siarad, yn ôl eu harfer, am ferched a chyfathrach rywiol a sut i gael babis. Pob un ohonyn nhw'n honni'i fod yn gwybod popeth am y pethau hyn ac yn siarad yn huawdl er mwyn cuddio'i anwybodaeth drylwyr.

Gorweddai Ken ar ei fol gan gnoi glaswelltyn. Eisteddai

Col ar ei ben-ôl yn freuddwydiol. Gorweddai Mal ar ei gefn gyda'r gwellt yn cosi'i wyneb. Er ei bod yn erchyll o boeth roedd y tri hyn yn dal i wisgo'u siacedi ysgol duon. Roedden nhw'n rhy swil i ddatglymu'u teis hyd yn oed.

Roedd yr ymddiddan yn dechrau pallu. Neb yn gallu meddwl am ddim byd i'w ychwanegu at y rhibidires o storïau brwnt. Yna fe gafodd Ken syniad.

"Ydy Evans yn carco 'nawr?"

"Nac ydy," meddai Col.

"Dewch 'te bois."

"I le'r awn ni heddi'?"

Roedd hi'n ddigon hawdd sleifio o'r cae pan nad oedd yr athro'n gwylio ac yntau wedi ymgolli yn y gêm. Stori arall fyddai hi pe caent eu dal! Ond y tro hwn roedd y ffordd yn glir. Ffwrdd â nhw!

"Ble'r awn ni 'nawr 'te?"

"I'r depo," meddai Col. Ei unig wir ddiddordeb oedd bysiau.

" 'Smo fi'n mynd i'r blydi depo 'to," meddai Mal, "ar ôl inni gael ein dal, bron, tro d'wetha."

"Dewch dros y bont fach 'na bois," meddai Ken yn awdurdodol ac yn wybodus. "Mi wn i am le dros yr afon. Rhes o hen dai gwag."

" 'Smo fi'n mynd yn agos at y lle 'te."

"Pam, Col?"

"Achos mae'n beryglus."

"Hen fabi," meddai Ken.

"Mae'n wir," meddai Col. Roedd e'n henffasiwn, "Mae pobl wedi cael eu lladd yn mynd i mewn i hen dai."

"Wel, dw i'n mynd beth bynnag. Beth amdanat ti, Mal?"

"Dw i'n dod hefyd."

" 'Na pam dw i'n dy lico di, Mal," meddai Ken. " 'Smo ti'n ofni dim, ti wastad yn barod i wneud petha', mentro. Yn wahanol i rai gallwn i eu henwi."

"O reit, reit. Fe ddo' i hefyd," meddai Col yn rwgnachlyd. "Ond paid â gweud bo' fi ddim wedi'ch rhybuddio chi o'r peryglon."

Aethon nhw dros y bont felly. Pont fach fetal sigledig oedd hi. A'r ochr draw i'r afon 'roedd hi'n wlad wyllt. Perthi a choed bach a gwellt hir bob ochr i lwybr cul. I lawr i'r chwith sibrydai'r afon fechan; i'r dde, y tu ôl i'r gwrychoedd roedd caeau yn perthyn i ffarm; un o ffermydd prin ac annisgwyl y dre.

Aeth y bechgyn ymlaen ar hyd y llwybr gan gymryd arnyn nhw eu bod nhw'n mynd drwy ddryswig drofannol.

Tynnodd Ken ei siaced a'i dei a dad-wneud botwm uchaf ei grys. Felly gwnaeth y ddau arall yr un peth. Roedden nhw wedi ymlacio tipyn ar ôl diengyd rhag trem wawdlyd eu cyfoedion.

"Mae 'na lwyth o fenywod," meddai Mal, "sy'n byw yn y ddryswig ar bwys yr Amazon. Ond 'does neb yn gwpod yn union ble maen nhw'n byw."

"Wel, beth amdanyn nhw 'te?"

"Maen nhw'n mynd o gwmpas gyda'r naill fron yn noeth bob amser. Dyna sut mae'r afon Amazon yn cael ei henw – ar ôl y llwyth o fenywod 'na, yr Amazoniaid. Maen nhw'n byw heb ddynion."

"Sut maen nhw'n cael babis 'te?" gofynnodd Ken.

"Unwaith y flwyddyn maen nhw'n mynd at y llwythau cyfagos ac mae pob un o'r Amazoniaid yn dewis dyn ac yn mynd â fe'n ôl i'w pentre am noson neu ddwy. Os cwynith un o wragedd y dynion bydd yr Amazoniaid yn ei lladd hi – felly 'does dim dewis gan y dynion na'u gwragedd. Wedi i'r Amazoniaid feichiogi mae nhw'n rhyddhau'r dynion – yn wir, maen nhw'n eu gyrru nhw'n ôl at eu gwragedd achos 'dyn nhw ddim yn mo'yn dynion o gwmpas o gwbl. Wedyn mae'r Amazoniaid yn aros i'r babanod gael eu geni – a phob plentyn gwryw maen nhw naill ai yn ei ladd neu'n ei roi e yn y ddryswig gan obeithio y daw'i dad o hyd iddo. Ond fel arfer bydd y babanod yn cael eu b'yta gan yr anifeiliaid gwyllt."

" 'Swn i ddim yn lico cwrdd â'r merched 'na," meddai Col.

"Mi ddysgwn i beth yw dyn go iawn iddyn nhw," meddai Ken, gan roi'i sbectol ym mhoced ei grys.

"Hy," oedd sylw Mal i hynny.

"Ydych chi'n credu fod 'na blanhigion mewn dryswigoedd sy'n gallu b'yta dynion?" gofynnodd Col.

"Yn bendant," meddai Mal yn bendant.

"Shwt wyt ti'n gwpod?"

"Dw i wedi gweld llun o blanhigion fel asbidistra Mamgu yn b'yta dyn."

"Llun," meddai Ken yn ddirmygus.

"Bob hyn a hyn," meddai Mal gan anwybyddu Ken a dilyn trywydd ei feddyliau ei hun wrth fynd drwy'r llwyni. "Bob hyn a hyn maen nhw'n dod o hyd i blant yn y ddryswig sydd wedi cael eu magu gan anifeiliaid gwyllt, plant sydd wedi cael eu colli neu'u gadael gan eu rhieni."

“Fel Tarzan!” meddai Col.

“Rwtsh,” meddai Ken.

“Ie, fel Romilws a Remws,” meddai Mal a oedd yn dechrau mynd i hwyl ’nawr wrth ddangos ei wybodaeth eang o bethau anghyffredin. “Ond mae hyn yn wir. Daethon nhw o hyd i ddwy ferch fach yn 1920 yn yr India a oedd wedi cael eu magu gan flaidd. A daethon nhw o hyd i fachgen yn Sri Lanka yn 1973 a gafodd ei fagu gan fyncwn.”

“Sa i’n credu’r holl rwtsh ’na,” meddai Ken.

Yn ddisymwth roedd y perthi wedi clirio, wedi cilio, fel petai, i ddangos i’r bechgyn res o dai bach cerrig wedi’u hamgylchynu gan goed a chwyn a gwyrddni gwyllt. Teimlai’r bechgyn fel darganfyddwyr yn dod o hyd i adfeilion hen wareiddiad diflanedig. Ac yn wir, roedd y llecyn hwn bron â bod yn hen bentre ar un adeg. Am eiliad gallent weld y gymdogaeth yn fyw – plant yn chwarae yn y pridd, ieir yn rhedeg o gwmpas, cŵn yn cyfarth, hen hen ŵr yn eistedd ar sil ei ffenest yn yr haul, menywod yn siarad ac yn dal babanod, dwy fenyw yn hel clecs. Diflannodd yr olygfa. Safai’r pedwar tŷ yn dawel, a’u ffenestri di-wydr fel llygaid penglogau yn syllu arnynt. Y toeau tyllog fel asennau, a’r muriau bylchog fel dannedd yn ysgyrnygu arnynt. Roedd y bechgyn yn dawel. Yn sydyn roedd yr olygfa yn frawychus o drist. Ond diflannodd y teimlad hwnnw hefyd yn ei dro.

“Dewch, bois,” meddai Ken. “Dewch inni fynd i mewn.”

“Be’ ’sa ’na ryw drempyn yn byw ynddyn nhw?” gofynnodd Col.

“Paid â phoeni, ’does neb ’na,” meddai Ken yn ddifraw.

Bu’n rhaid i’r bechgyn fynd i lawr tipyn o dwyn i gyrraedd

rhyw fath o sarn isel dros nant fechan. Roedd y brif afon yr ochr arall i'r tai.

"Mae'r lle 'ma'n rhyw fath o ynys," meddai Mal. Aethon nhw dros y sarn. Roedd y nant o dani yn glir a bas a'r cerrig fel ceiniogau yn y dŵr a'r dŵr fel diemwntau yn yr haul.

Ond wedyn fe siomwyd y bechgyn. Roedd y tai wedi'u hamgylchynu gan ffens wedi'i chuddio gan y chwyn. Ac roedd rhwystr arall. Clwyd haearn fawr a hithau wedi'i chloi â chadwyn a chlo cwt.

"Chi'n gweld," meddai Col. "Mae'r lle 'ma'n perthyn i rywun."

"O, paid â bod yn ddampar o hyd," meddai Ken a chan roi'i droed ar waelod y glwyd, fe neidiodd drosti mewn chwinciad. 'Doedd e ddim yn ddigon iach i chwarae gemau nad oedd arno eisiau'u chwarae ond 'doedd dim byd mawr o'i le arno chwaith. Mal oedd y nesaf dros y glwyd. 'Doedd dim dewis gan Col ond dilyn y lleill yn anfodlon. Bu'n rhaid iddyn nhw'i helpu gan ei fod yn dew a chafodd ychydig o drafferth i ddringo'r glwyd ac wedyn i neidio i lawr.

'Doedd dim llwybr o fath yn y byd drwy'r chwyn a'r mieri a'r danadl poethion a'r gwellt a oedd bron mor dal â'r bechgyn eu hunain. Nesaodd y tri at y tai nes gallu edrych i mewn trwy'r ffenestr. Roedd hi'n oer a thywyll y tu mewn.

Profodd Ken un o'r drysau ond agorodd e ddim. Profodd Mal un arall.

"O's eisia' mynd miwn?" gofynnodd Col.

"O's. Dw i eisia' mynd lan i'r llofftydd."

"Watsia di," meddai Col. "Mae llygod mawr mewn llefydd fel hyn."

"Fe sathrwn ni ar y diawliaid!" Chwarddodd Mal.

Roedd pob un o'r drysau ffrynt wedi'u cloi. Roedd y ffenestri'n rhy gul ond roedd y bechgyn yn gallu gweld trwy ddrysau cefn y tai. Rhedodd Ken a Mal drwy'r môr o wyrddni i'r cefn gyda Col yn llusgo ar eu holau.

Roedd un o'r drysau cefn ar agor ac aeth y bechgyn i mewn. 'Doedd dim byd yn y tŷ, ond roedd y profiad yn wefreiddiol. Roedd hi'n anodd credu bod pobl wedi byw mewn lle mor fach.

Mal oedd y cyntaf i ddod o hyd i'r grisiau bach.

"Peidiwch â mynd lan y grisiau 'na," meddai Col. "Mae'n beryglus."

"Ca' dy ben," meddai Mal. "Grisiau solet 'yn nhw. Fel Craig Gibraltar."

"Wel, 'smo fi'n dod lan 'da chi."

"Diolch am 'ny," meddai Ken. "Allai'r llawr ddim dal dy bwysau di."

Gwyliodd Col ei ffrindiau'n diflannu i'r tywyllwch uwch ei ben. Am dipyn clywai'r bechgyn yn sibrwd ac yna'n chwerthin yn swnllyd. Cwynai'r estyll uwch ei ben yn wichlyd ac ofnai Col eu gweld nhw'n dod i lawr ar ei ben. Felly agorodd y drws ac aeth allan ond arhosai wrth y drws fel y gallai glywed lleisiau'r bechgyn. Roedden nhw'n sibrwd eto. Yna fe beidiodd y sibrydion. Gwyddai Col eu bod nhw'n tynnu'i goes, felly 'doedd e ddim yn mynd i alw arnyn nhw am arian y byd iddyn nhw gael chwarae rhyw gast a gwneud cyff gwawd ohono.

Edrychai o'i gwmpas a gweld olion hen waliau a wahanasai'r gerddi bychain erstalwm. Ymgollai Col mewn breuddwydion am y bobl a breswyliasai yn yr hen res o fythynnod. A gwelai'r tlodi a phobl yn crafu bywoliaeth; babanod yn marw, ffrae rhwng cymdogion, pobl yn mynd yn dân ar groen ei gilydd wrth fyw mor agos ac mewn cylch mor gyfyng.

Roedd yr awyr yn fwll ac yn fyglyd.

Hanner awr yn ddiweddarach daeth Ken a Mal i lawr y grisiau, a'u hwynebau'n goch a'u crysau'n flêr.

Roedd wyneb Col yn las. Roedd e'n gorwedd ar y borfa yn ymladd am ei wynt.

"Mae'n cael pwl o asma!" meddai Mal.

Datglymodd Ken dei Col ac agor botymau'i grys. Arhosodd y llanciau am hanner awr arall nes i Col adennill ei wynt a dweud ei fod e'n teimlo'n well.

Roedd hi'n nosi, poenid y llanciau gan wybed. Edrychai'r tai'n hyll ac yn frawychus unwaith eto.

"Dw i'n iawn 'nawr 'to, bois," meddai Col.

"Wel, dere 'te," meddai Ken. "Paid â gwneud môr a mynydd o'r peth."

Ar y ffordd 'nôl ar y llwybr drwy'r llwyni dywedodd Mal, "Dw i'n cofio clywed stori am yr hen dai 'na."

" 'Doet ti ddim yn gwpod amdanyn nhw nes imi'u dangos nhw iti heddi'," meddai Ken.

"O'n, 'ro'n i yn gwpod amdanyn nhw," meddai Mal yn daer. "Fe glywes i'r stori 'ma gan 'Nhad."

"Pa stori?"

"Stori am y dyn 'nath ladd ei hunan drwy ddodi'i ben yn y ffwrn... ac mae'i ysbryd yn dal i gerdded y llwybr 'ma!"

Rhedodd y bechgyn nerth eu traed nes iddynt gyrraedd y

bont – a sŵn eu traed yn clindarddach ar ei metal fel bwledi – ac wedyn gallent weld y cae rygbi (yn wag erbyn hyn) a thai a phobl. A gwyddent nad oedd eisiau rhedeg mwy.

Camera Obscura

'DYW'R *CAMERA OBSCURA* ddim yn tynnu lluniau, ond trwyddo gellir gweld tref Aberystwyth a'r ardal o'i chwmpas; caeau, y môr a'r prom. Y cyfan wedi'i gywasgu a'i chwyddo ar yr un pryd.

Edrychais ar yr Hen Goleg a meddwl am yr holl bethau pwysig, pwysig a oedd yn mynd ymlaen yn yr adeilad crand hwnnw. Dysgedigion yn trosglwyddo dysg, penderfyniadau difrifol yn cael eu trafod gan bwyllgorau cydwybodol, myfyrwyr yn cysgu trwy ddarlithiau, coffi yn cael ei yfed o gwpanau plastig tenau yn y cwad, llyfrau'n cael eu darllen a'u creu, carwriaethau yn egino ac yn chwythu'u plwc, clecs yn cael eu hel. On'd oedd y lle yn bwysig? Ac eto roedd y Coleg yn fach yn llygad y *Camera Obscura* a'r Athrawon a'r Doethuriaid yn ddim byd ond chwain.

Symudais y lens oddi wrth yr Hen Goleg ar hyd y prom. Edrychai'r holl geir fel pryfed – sut yn y byd y gallai pethau bach fel 'na gostio miloedd o bunnoedd?

Lle i fyfyrio uwchben serch, angau a rhyfel yw'r *Camera Obscura*. Testunau myfyrdod yr ifainc, yr anaeddfed a'r naïf (oes 'na wahaniaeth?) bob amser, ond rhaid wrth safle fel y *Camera Obscura* (neu raid edrych i fyny at y sêr) i ysgogi'r canol oed i feddwl ar hyd yr hen linellau ystrydebol yna.

Am eiliad teimlwn fel duw. Ydy pawb sy'n edrych drwy'r

Camera Obscura yn teimlo fel'na tybed? Siŵr o fod, am eiliad o leiaf. Ai fel'na y mae Duw yn edrych ar y ddaear, yn sbio ar Ei greadigaeth a'i greaduriaid a'u llanast – Ei lanast Ei Hun? Nage. Mae Duw yn ffilm byff bythol sy'n cadw popeth ar fideo'r bydysawd. Mae popeth sy'n digwydd yn cael ei recordio gan gamerâu-fideo'r oesoesoedd a phob gair a ddywedir a phob syniad a feddylir yn cael eu cofnodi ar dâp tragwyddoldeb. Does dim byd yn dianc ac mae gan Dduw amser i wylio'r cyfan, i ailweinido ac arafu ffilmiau a'u gwylio drosodd a throsodd – yr angylion yn hedfan o'i gwmpas ac yn canu moliant iddo Ef yn ddi-baid. Dyna sut y gŵyr Duw bopeth sy'n digwydd ac sydd wedi digwydd, a dyna sut y gall ein profi ni ar Ddydd y Farn Fawr. 'Dyna chi ar Chwefror yr unfed ar bymtheg am ddeng munud i un ar ddeg... edrychwch, does dim cywilydd 'da chi, yn gwneud hynna 'to!'

Ond dim ond am eiliad y teimlwn fel duw. Yn syth wedyn, ar ôl i mi ddod at fy nghoed, sylweddolwn fy mod yn feidrolyn yn edrych ar feidrolion drwy ddarn o wydr. Doeddwn i ddim yn fwy na nhw, dim ond yn bellach i ffwrdd ac ar wahân, dros dro ac am y tro. Cyn hir byddwn yn gorfod cymryd fy lle yn eu plith unwaith eto.

Tybed a oedd rhywun wedi fy ngwylio i drwy'r *Camera Obscura*? Tybed a oedd rhywun wedi sbio arna i'n cerdded ar hyd y prom, wedi fy lapio yng nghôt ddwffwl fy hunanoldeb? Roedd y syniad yn frawychus. Ac eto, rhaid bod rhywun a rhywrai yn ein gwylio ni yn eithaf aml, heb yn wybod i ni. Gwyddwn innau fy mod i'n gwylio pobl gan obeithio nad oedden nhw yn ymwybodol o'm sylw.

Pan welais i ffigwr cyfarwydd iawn o'r pellter hwnnw roedd e'n gyfarwydd ac yn ddieithr ar yr un pryd. 'Doedd yr wyneb ddim yn glir, na'r gwallt na'r dillad. Ond rydyn ni'n nabod rhai wrth reddf. Dyna pam nad ydw i ddim yn deall y cyfweliadau 'na ar y teledu lle dangosir rhywun mewn cysgod neu silwét rhag cael ei adnabod. Rydyn ni'n nabod rhai wrth eu hosgo, wrth eu symudiad, o'r cefn o'r ochr, wrth eu naws. Ac, wrth gwrs, roeddwn i'n nabod y ffigwr hwnnw yn syth, hyd yn oed o bell, fel y buaswn i wedi'i nabod ar y teledu mewn cysgod.

A 'doedd e ddim ar ei ben ei hun. Pwy oedd ei gydymaith? Neb yr oeddwn i'n ei nabod. Roedden nhw'n cerdded yn araf, ochr yn ochr, yn siarad. Roedd y ffordd yr oedd y ddau yn cerdded yn dweud rhywbeth am y ffordd yr oedden nhw'n siarad. Ac roeddwn innau wedi cerdded fel'na gyda'r ffigwr cyfarwydd, ar hyd y prom, o'r dref i un pen i'r prom a throi a cherdded nôl at y pen arall. Cerdded er mwyn cerdded, cerdded er mwyn siarad. Bûm innau'n cerdded wrth ochr y ffigwr cyfarwydd lle'r oedd y ffigwr dieithr nawr. A oedd rhywun wedi'n gwylio ninnau o'r *Camera Obscura*?

Roeddwn i'n rhy bell i ffwrdd. Mae pellter yn dwyn grym ac yn dwyn nerth. Gallwn weld yn glir. Roedd y ddau wedi cyrraedd yr Hen Goleg. Mor bell yr oedden nhw, fel morgrug. Cymhariaeth ystrydebol. Nid y nhw oedd yn fach ond y fi; iddyn nhw doeddwn i ddim yn bod. Cyn eu bod nhw wedi cyrraedd y gornel roedden nhw wedi ymdoddi'n un. Dim golau rhyngddyn nhw, dim ond un ffigwr oedd, lle bu dau. Yna diflanasant rownd y gornel, lan Heol y Wig. Y gornel na allwn ei throi, na allwn ei chyrraedd.

Pan ddes i allan o wylfa'r *Camera Obscura* roedd y gwynt yn chwythu'n gryf. Roedd e wedi codi er pan gerddais i lan y clogwyn ar hyd y llwybrau igamogam yn gynharach y prynhawn hwnnw.

Cerddais yn awr at ddibyn y clogwyn. Pam nad oeddwn i wedi edrych ar y môr drwy'r chwyddwydr fel y Bardd Cwsg? Am y rheswm syml nad yw'r môr yn ddim drwy'r *Camera Obscura*; oni bai fod llong arno neu lamhidydd neu nofwyr ynddo, nid yw'n ddim ond llwydni.

Yn yr awyr ar ochr y clogwyn ar eich pen eich hun y mae llawn werthfawrogi'r môr. Edrychai'n ddigon mawr a gwyllt fel y gallai'n hawdd lyncu'r dref fel cath yn llyfu llaeth o fowlen.

I'r caffe â mi. Doedd dim llawer o ddewis. Prynais Kit-Kat a Panda Pops, cyfuniad hynod o afiach – roedd y pop yn las a'r siocled yn feddal. Edrychais allan drwy'r ffenestr ar y môr eto.

Dro yn ôl gwelswn anghenfil yn y môr – ond nid ger Aberystwyth – sarff anferth yn nofio yn y môr. Bûm yn sefyll ar ymyl clogwyn y tro hwnnw hefyd, ac roedd y môr yn dawel a chlir a gwyrdd. Yn sydyn cododd y creadur enfawr hir hwn o'r dyfnderoedd. Ar y dechrau meddyliwn taw morfil oedd e, ond roedd hwn yn rhy hir a chul. Cododd ei ben ar wddw tenau fel telesgop. Gallwn weld ei ffroenau a rhyw fath o fwng ar ei war. Gallwn weld ei gyhyrau yn symud o dan ei groen llyfn du. Sgleiniai'i gefn gwlyb yn yr haul. Roedd e'n gwneud sŵn hyd yn oed, sŵn tebyg i geffyl a thebyg i eliffant – rhywbeth rhwng y ddau. Gwelais ei lygaid bach yn ei ben. Gwyliais y creadur am ddwy funud. 'Doedd neb gerllaw. Heb rybudd aeth y môr-neidr i lawr a diflannu o dan y tonnau unwaith eto. Ni ddywedais air am y peth wrth neb; pwy fuasai'n fy nghredu? Ac eto, gwyddwn nad oeddwn i wedi'i ddychmygu, a dyna un o brofiadau hynotaf fy mywyd.

Ar ôl i mi hel yr atgof hwnnw sylwais fy mod wedi gorffen y pop glas a'r fisgeden a 'mod i wedi bod yn chwarae gyda'r papur arian ac wedi llunio ffiol ohono. Safai'r cwpan bach ar orchudd blodeuog plastig y ford. Gadewais ef yno gan geisio dychmygu rhywun yn mynd i'r caffe ac yn ei ddarganfod ac yn rhyfeddu.

Wrth i mi eistedd ar y cerbyd ar ben y rheilffordd gwyliais y bobl yn dringo i'r cerbyd arall ar y gwaelod ac yn cymryd eu seddau. Yn eu plith, yn hollol annisgwyl, roedd y ffigwr hwnnw. Yn sydyn symudodd y coetsys, deuai'r un o'r gwaelod i fyny ac âi'r un yr eisteddwn innau ynddo i lawr. Yn y canol pasient ei gilydd. Beth wnawn i? Troi fy mhen, cymryd arnaf edrych ar yr olygfa? Ond beth petai e'n galw f'enw? Beth petai e ddim yn galw? Symudodd y trenau a daeth y pwynt lle'r oedd y ddwy goets union ochr yn ochr. Eiliad o gyfatebiaeth berffaith yn y bydysawd. Edrychais ar yr olygfa draw. Alwodd neb f'enw. Ac eto roedd y ddau ohonom yn ymwybodol o'n gilydd. Roedd yr eiliad wedi pasio. Wedyn roedd hi'n rhy hwyr.

Disgynnais o'r goets. Meddyliais am y ffiol o bapur arian ar y ford yn y caffe. Meddyliais am y *Camera Obscura*. Cerddais ar hyd y prom.

Cathod a Chŵn

LOANS: Y GAIR mewn llythrennau anferth, y llythrennau yn hen oleuadau neon nad oeddent yn gweithio mwyach, yr arwydd mawr yn ymwthio allan o'r wal fel mynegbost i ddyledion o dan y ffenestr, uwchben y siop ddillad rhad yn y stryd fawr brysur oedd yr unig beth a adawyd ar ôl o'r hen swyddfa fenthyciadau (a agorwyd yn y pedwar degau a barnu oddi wrth y llythrennau) lle'r oedd fflat Robin a Liam. Chwilia am yr arwydd *LOANS*, meddai Robin, a dyna lle 'dyn ni'n byw uwchben Birtwistles Gowns yn y stryd fawr. Roedd Robin yn licio'r hen arwydd gan ei fod yn nodi'i gartref fel hyn ac yn consurio awyrgylch y lôn-siarc, byd Humphrey Bogart, gweithgareddau ysgeler a phobl ddesbrad. Er i Robin a Liam fyw yn yr hen swyddfa am nifer o flynyddoedd wnaeth neb alw am fenthyciad.

Roedd y drws cul i'r fflat yn y stryd wedi'i frechdanu rhwng y siop ddillad rhad a siop-popeth-am-bunt; drws yr âi'r holl fforddolion heibio iddo yn eu miloedd os nad eu miliynau bob dydd heb sylwi arno; drws du, distatws, dinod. Drws neu beidio, hen arwydd anferth a chlasurol neu beidio, roedd y fflat fel petai wedi'i guddio yn un o'r llecynnau prysuraf yn yr ardal brysur honno o'r ddinas – yn amlwg o anweledig. Ym mhob stryd fawr, ym mhob ardal o bob dinas, mae 'na ddrysau fel yr un i fflat Robin a Liam; drysau nad oes neb yn meddwl amdanynt sydd, o'u hagor, yn arwain i fyd bach preifat a chymhleth.

Eid drwy'r drws yn y stryd, drwy fynedfa gul a thywyll – rhyw fath o gwli neu dransh – rhwng y siopau i gefn yr adeiladau i dirlun y cefnau; briciau a ffenestri a biniau sbwriel a thoeon a simneiau a waliau ac estyniadau ac erielau yn perthyn i'r siopau a'r fflatiau. Roedd 'na risiau haearn du yn arwain igamogam i fyny ochr gefn yr adeilad at fflat Robin a Liam a balconi bach gyda bin sbwriel a photiau teracota dwmbwldambal o *geraniums* coch wedi'u pentyrru – rhai'n crogi a rhai wedi'u clymu wrth ffram y balconi – y tu allan i'r drws du.

Y tro cyntaf imi bwyso ar y botwm enamel gwyn i ganu'r gloch roedd Robin a Liam yn cael parti – gwlychu'r aelwyd, newydd symud yno i fyw, a'r lle dan ei sang, a miwsig byddarol yn atseinio drwy'r adeilad. Deuthum i â photel o fodca a photel o martini ac ar ôl naw fodca-martini collais gyfrif a dw i ddim yn cofio llawer am y noson honno ar ôl hynny. Ys gwn i pam? Ond dw i'n cofio cwrdd â'r *gorgeous* Wiliam, chwe throedfedd a hanner ohono, gyda'i groen *café au lait* a'i aeliau tywyll bwaog.

Roedd y fflat yn enfawr, roedd 'na ddau lawr iddo a stafelloedd helaeth agored. Roedd Robin wedi dewis y lle arbennig hwn, meddai, am ei fod yn ddelfrydol fel stiwdio ar gyfer ei waith fel cerflunydd ac i Liam fod yn ddramodydd ac yn 'performance artist' ac yn ffotograffydd. Gweithiai Robin ar y llawr uchaf a gweithiai Liam ar y llall. Ar lawr Robin roedd yr holl ffenestri a golygfeydd o'r ardal honno o'r ddinas a phob un o'r ffenestri blaen yn edrych dros y gair

LOANS i lawr i'r stryd ddi-baid ei symud hyd yn oed gyda'r nos. Roedd y lle hwn yn olau ac yn eang. Digon o le i Robin gael llunio'i gŵn.

Bu Robin a finnau yn yr un ysgol gelf gyda'n gilydd am bedair blynedd (blwyddyn sylfaenol ac yna dair blynedd o 'gelfyddyd gain'). Daethai Robin i'r coleg hwn ar ôl cyfnod hir o flynyddoedd heb waith a'i unig gymhwyster academaidd oedd un lefel O gradd B mewn celf a'i frwdfrydedd. Yn ei flwyddyn gyntaf ar y cwrs celfyddyd gain fe luniodd gi allan o focsys cardbord. Rhoes deitl i'r gwaith, sef 'Ci Ffyrnig' a chi ffyrnig ydoedd hefyd, gyda'i ben sgwâr, ei gorff hirsgwâr, ei driongl o gwt a'i goesau tenau. Roedd Robin wedi peintio'r llygaid a'r dannedd – rhesi o rai trionglog teiranosawrws recsaidd yn ysgyrnygu. Wnaeth e byth edrych 'nôl wedyn; roedd e wedi darganfod ei elfen, ei ffordd yn y byd, cyfeiriad ei waith.

Yn ein blwyddyn olaf cyfarfu Robin â Liam. Daethai Liam i'n coleg fel model byw – yr un gwryw cyntaf. Cyn hynny cawson ni ddwy fenyw gnawdol, sylweddol a digon ohonyn nhw ill dwy i'w ddarlunio – Maude o Iwerddon, yn ei chwedegau, a Brigitte o Awstria, hithau yn ei chwedegau; am yn ail â'i gilydd – Maude un wythnos a Brigitte yr wythnos wedyn heb i'r naill gwrdd â'r llall byth. Ond yr un oedd problemau technegol tynnu llun Maude a Brigitte; *chiaroscuro*, plygiadau, rhychau, llinellau, *steatopygia*, popeth yn binc ac yn wyn ac yn llwyd ac yn felyn ac yn feddal a chrwn. Arferai Maude fynd i gysgu gan ei bod yn feddw bob amser ac arferai Brigitte siarad yn ei llais uchel a'i Saesneg craciedig drwy'r amser: 'How you vant me zis veek? Zis vay or zat vay? Chust zay vot you vant, a Goya or a Boucher or a Monet, eh? How you vant me, eh?' Yna, aeth y ddwy ohonyn nhw'n dost yn annibynnol ar ei gilydd ond ar yr un pryd, mwy neu lai, a bu'n rhaid i'r coleg hysbysebu am fodelau eraill. Daeth Liam ifanc, tywyll, golygus, Gwyddelig – llygaid *bleu de bleu,* croen gwyn, gruddiau pinc, cyhyrau clir.

Cofiaf y tro cyntaf iddyn nhw gwrdd; cofiaf fel y sodrodd Robin ei îsl yn blwmp o flaen Liam a phawb yn y dosbarth yn gweld cariad-ar-yr-olwg-gyntaf ar waith (yn ei fynegi'i hun yn gorfforol yn achos Liam).

Un o gyn-raddedigon ein cwrs ni oedd Liam ond wnaeth e ddim ffeindio'i ffordd nes iddo gwrdd â Robin. Rhyngddyn nhw cynllunion nhw waith oes Liam; bob dydd byddai Liam yn gwisgo dillad menyw a cholur a bob dydd byddai'n dal y trên yn un pen i'r ddinas ac yn teithio ar ei thraws i'r pen arall lle byddai'n tynnu'i lun ei hun mewn blwch tynnu'ch-llun-eich-hun, yr un un bob dydd, gyda'r bwriad o wneud arddangosfeydd bob hyn a hyn o'r lluniau beunyddiol hyn ohono yn ei ddillad drag lliwgar. A chadwodd Liam at y cynllun hwn yn ffyddlon. Er ei fod yn ddyn hynod o hardd ac er bod Robin yn caru'i wryweidd-dra, ac er bod Liam yn caru Robin, unig wir ddymuniad Liam oedd cael llawdriniaeth i'w newid i fod yn fenyw. Credai Robin yn gryf ei bod yn rhaid i artist lynu'n ddiwyro wrth un cynllun ac, yn hwyr neu'n hwyrach, er y byddai'n cael ei anwybyddu a'i ddifrïo ar y dechrau, yn y diwedd byddai'n cael ei ddarganfod ac yn dod yn enwog ac yn gwneud arian mawr. Felly gwnâi Robin ei gŵn. Âi i edrych ym miniau sbwriel y siopau bob dydd a châi yno gyflenwad dihysbydd yn rhad ac am ddim o focsys cardbord, a gwisgai Liam ei ddillad menyw (rhai gwahanol bob dydd – prynai'i ddillad yn ail-law o Oxfam) a thynnu'i lun gyda'r amcan o werthu'u gweithiau rhyw ddiwrnod am filoedd ar filoedd o bunnoedd er mwyn talu am lawdriniaeth breifat i Liam.

Yn ei sioe raddio y dangosodd Robin ei gŵn cardbord am y tro cyntaf erioed yn gyhoeddus. Roedden nhw'n llwyddiant mawr, a sawl adolygiad yn y papurau yn cyfeirio atyn nhw yn eu hadroddiadau ar arddangosfa'r coleg. Gwerthodd Robin bump ohonyn nhw. Gyda'r arian prynodd gar – hen dacsi Llundeinig du clasurol, am £450. Fel yn achos yr hen arwydd *LOANS* y tu allan i'r fflat 'doedd y goleuadau y tu ôl i'r geiriau 'taxi' a 'for hire' ddim yn gweithio ond dyna'r unig wahaniaeth arwynebol rhwng car cyn-dacsi Robin a thacsi Llundeinig go-iawn. Golau neu beidio, ble bynnag yr âi byddai pobl yn y stryd yn codi llaw arno gan weiddi 'Tacsi!'. Ni fyddai Robin yn cymryd sylw, oni bai fod dyn golygus yn ceisio'i stopio.

Buasai'r ddau'n cydweithio ac yn cyd-fyw fel hyn ers tair blynedd pan ddaeth tro ar fyd. Cawsai Robin sawl arddangosfa o'i gŵn ac er eu bod bob amser yn denu sylw ffafriol a Robin yn gwerthu rhai ohonyn nhw 'doedd y llwyddiant mawr ddim wedi dod eto, ond roedd e'n dal yn obeithiol ac yn dal i gynhyrchu cŵn newydd bob mis. Roedd Liam ar y llaw arall yn dechrau blino ar rigol ei fywyd, er mai ef ei hun oedd wedi'i cherfio. Troes y gwisgo lan a'r daith ar draws y ddinas yn syrffed iddo. Ond roedd Robin yn gefn iddo gan ei atgoffa fod pobl yn dechrau dod i'w nabod ac yn sylwi ar ei rwtîn diamrywiaeth. Cyn hir, meddai Robin, byddai'i lun yn y cylchgronau ac wedyn byddai rhywun yn gwneud ffilm amdano ar y teledu ac wedyn byddai'n enwog. Ond 'doedd Liam ddim wedi llwyddo i gael unrhyw oriel i wneud arddangosfa o'i luniau ffotograffau eto (er bod dros bedair mil ohonynt bellach gan fod y ciosc lluniau yn poeri pedwar llun mas bob dydd) ac er bod rhai o'i gyd-deithwyr ar y trenau ac yn yr ardal lle'r oedd y blwch lluniau wedi dod yn gyfeillgar roedd e'n gorfod wynebu cryn dipyn o gasineb a sefyllfaoedd peryglus bob dydd. Iawn i Robin ei annog i ddal ati, meddai Liam, ond doedd e ddim yn gorfod delio â'r criwiau o fechgyn a wnâi hwyl am ei ben bob dydd a'i fygwth a'i alw'n 'Pervert! Freak! Queer bastard!' Heb sôn am y ffanatigiaid crefyddol. Roedd un hen fenyw wedi dechrau dod i gwrdd ag ef bob dydd wrth yr orsaf gan wthio copi o'r Beibl dan ei drwyn a darllen adnodau yn sôn am uffern a chosb a Sodom a Gomora.

O'm rhan i, roeddwn i wrth fy modd yn edrych ar y lluniau bach sgwâr a orchuddiai un wal o stafell Liam. Roedd e'n wahanol ym mhob un ohonyn nhw, nid yn unig ei wynebliwiau a'i wallt a'i ddillad ond ei hwyliau a'i agwedd – weithiau'n hyderus ac yn allblyg, yn ddrag cwîn ddidderbyn-ffycars, bryd arall yn amlwg yn isel ei ysbryd, ei wallt yn flêr, ei golur wedi'i blastro dros ei groen yn esgeulus ac ar frys, ei ên heb ei heillio'n iawn.

Un diwrnod roedd Liam ar ei ffordd tua thre; wedi teithio trwy'r ddinas, wedi tynnu'i lun yn ei flwch lluniau, wedi dal y trên 'nôl, wedi dweud twll dy din wrth y fenyw gyda'r Beibl, ac wedi cyrraedd yr orsaf agosaf at y fflat mewn un darn ac wedi dod i lawr o'r trên, pan ymosododd criw o lanciau croenddu arno, ei gornelu a phoeri yn ei wyneb, ei bwnio yn ei fol, ei gicio yn ei geilliau, ei fwrw i'r llawr, sathru ar ei ddwylo a'i gicio yn ei ystlys. Daeth merch atynt fel cath i gythraul gan weiddi a sgrechian fel gwrach a chicio'r bechgyn a gweiddi arnyn nhw i adael iddo fod a gweiddi 'Polîs! Polîs!' nes iddi eu dychryn ac iddyn nhw redeg i ffwrdd nerth eu *Nikes*. Yna helpodd y ferch Liam i godi o'r llawr a rhoi'i fraich dde dros ei hysgwydd er mwyn ei gynnal ac fel'na y cerddodd y ddau nes i Liam ddweud ei fod e'n byw yn y fflat uwchben yr arwydd *LOANS* 'na.

Fel'na y cyfarfu Liam a Robin â Rita, pedair troedfedd un fodfedd ar ddeg a gwallt byr (lliw melyn) fel draenog, plorynnod coch ar ei thalcen ei gruddiau a'i gên ond dim ar ei thrwyn smwt, a siaced ledr a sgidiau DMs. Lesbiad oedd Rita, ac artist. Aeth Robin a Liam i'w fflat i weld ei gwaith. Un thema oedd i'w gwaith, un pwnc, un testun; cathod. Cathod wedi'u llunio o ddarnau o ledr a'u stwffio; cathod lledr a styds wedi'u clymu ac yn hongiau ac mewn pob math o ystumiau sadomasocistaidd.

Pan welodd Robin a Liam gathod S/M Rita roedd hi'n amlwg ei bod yn rhaid i Robin a Rita gael arddangosfa ar y cyd. Gwnaed ei gŵn ysgyrnyglyd ef a'i chathod cinci hi ar gyfer ei gilydd heb i'w crewyr wybod hynny wrth eu creu. Ac felly bu.

Crafodd Robin a Rita ddigon o arian at ei gilydd i logi neuadd anferth yn un o gorneli llymaf, mwyaf diarffordd a pheryglus y ddinas. Lluniodd Robin a Liam bosteri i'w hysbysebu – afraid dweud mai 'Cathod a Chŵn' oedd teitl yr arddangosfa gyda llun o un o'r cŵn ac un o'r cathod yng nghanol y poster.

Agorwyd yr hen neuadd i'r cyhoedd; roedd 'na gaws a gwin a gwisgodd Liam ffrog goch lachar ac roedd ei golur a'i ewinedd a'i sgidiau sodlau uchel-puchel a'i glustdlysau yn goch tanbaid hefyd. Daeth newyddiadurwyr a ffotograffwyr a beirniaid celf a ffrindiau Robin a Liam a Rita (a finnau yn eu plith a'r *gorgeous* Wiliam a oedd, gwaetha'r modd, yn strêt – dyna wastraff – a'i unig ddiddordeb oedd menywod anorecsig) ac roedd yr arddangosfa yn llwyddiant ysgubol. Roedd y neuadd yn llawn o'r cŵn cardbord dieflig, rhai bach, rhai mawr – y rhan fwyaf yn fawr – pob un yn ddanheddog, rhai gyda chynffonnau cyrliog, rhai gyda chynffonnau syth a stiff, ambell un gyda phidlen fawr, rhai gyda thafodau a chlustiau pigog, rhai'n cyfarth, yn gorwedd, yn eistedd, yn begian, yn codi'u coesau, yn ymladd ac ambell bâr yn paru gyda'r naill ar gefn y llall. Roedd cathod lledr Rita ymhob man, yn hongian o'r trawstiau, ar y waliau, ar gadeiriau, ar y llawr a phob un ohonynt mewn ystum rhywiol, gwrywgydiol, doniol – un o'r cathod â *dildo* lan ei phen-ôl.

Gwerthodd Robin a Rita y rhan fwyaf o'u gweithiau a chyhoeddwyd erthyglau arnyn nhw a lluniau ohonyn nhw a gwnaed cyfweliadau gyda'r ddau a threfnwyd arddangosfeydd eraill. Yn sydyn, dros nos, fel petai, roedden nhw'n enwog. Yn sgîl y sylw a gafodd Robin cafodd Liam dipyn o gyhoeddusrwydd yn enwedig ar ôl i Robin dalu am ei lawdriniaeth ac iddo droi i fod yn Linda.

Yn fuan wedyn daeth perthynas Robin a Liam/Linda i ben ac aeth Linda i fyw gyda'i chariad newydd, sef Rita.

Heb Liam (Linda) nychodd Robin am gyfnod o fisoedd. Roedd e'n artist enwog am ei gŵn cardbord – gyda chyfweliadau yn y *Sunday Times, Time Out, Blueprint* ac arddangosfeydd wedi'u trefnu am y tair blynedd nesaf yn Llundain, Paris, Madrid ac Efrog Newydd (dwy). Ond doedd dim cŵn yn dod ohono ac erbyn hyn gwerthasai'r rhan fwyaf o'i weithiau. Problem. Sut roedd e'n mynd i lenwi'r orielau? Ond roedd Robin yn rhy isel ei ysbryd i feddwl am ateb i'r broblem. Treuliai'r boreau yn ei wely gan adael i'r dynion sbwriel fynd â'r holl focsys o'r tu allan i'r siopau. Nid eilliai am ddyddiau bwygilydd. Smygai ac yfai'n drwm heb fwyta'n iawn. Aeth ei wyneb a'i freichiau a'i goesau'n denau fel priciau ond chwyddodd ei fol nes ei fod fel menyw feichiog.

Roedd Rita hyd yn oed yn fwy llwyddiannus na Robin. Gwelwyd ei gwaith ar y teledu ar raglenni uchel-ael fel y *South Bank Show* (Melv: 'Why cats i'n badicular? I bean why bese cats ib bese sadobasochistic bositiobs?' Rita: 'I see it as a sort of deconstruction of the predatory killer instinct inherent in most post-AIDS, post-modern, pre-apocalypitic new millennial sexual encounters') a phan aeth ei chathod i Efrog Newydd sgrifennodd Camille Paglia ragymadrodd i raglen yr arddangosfa. Aeth Rita a Linda i fyw mewn fflat anferth gyda stiwdio mewn hen warws (lle'r oedd nifer o artistiaid eraill yn byw ac yn gweithio) ger yr afon a'r ffatrïoedd. Ond roedd hi'n blino ar ei chathod ac yn chwilio am rywbeth gwahanol i'w wneud.

Fel Linda collodd y cyn-Liam ddiddordeb yn y prosiect a rhoes y gorau i deithio ar y trên dros y ddinas bob dydd ac i dynnu lluniau ohoni hi'i hun. Yn wir chwythodd ei holl uchelgais ei blwc. Roedd Linda'n hapus gan ei bod wedi cyrraedd nod ei bywyd drwy fod yn Linda.

Cyrhaeddodd y tri ohonynt yr argyfwng gwacter ystyr yma tua'r un pryd, ill tri yn eu tridegau hefyd. O edrych yn ôl ar bethau yn awr mae'n ddigon clir eu bod nhw'n cymryd hoe cyn adennill eu gwynt, fel petai.

Robin oedd y cyntaf o'r tri i ailgychwyn. Un diwrnod, prynhawn dydd Sul oedd hi, aeth Linda draw i'w fflat uwchben yr arwydd LOANS i alw arno (roedden nhw'n ffrindiau mawr o hyd). Roedd gan Linda ei hallwedd ei hun a phan aeth i mewn i'r fflat synhwyrodd yn syth fod rhywbeth o'i le. Roedd hi'n dawel fel y bedd ac roedd hynny yn anghyffredin iawn gan fod Robin yn methu meddwl heb rywbeth ar y chwaraeydd CD – Velvet Underground, Joy Division, The Smiths, Diamande Gallas.

Daeth Linda o hyd iddo yn ei stafell wely wedi cymryd potelaid o dabledi cysgu. Ffoniodd am ambiwlans ac achubwyd ei fywyd.

Pan ddaeth yn ôl i'w fflat roedd Linda a Rita yno i'w groesawu ac i gadw llygaid arno am dipyn. Roedd e'n dal i fod yn ddigalon ar y dechrau. Y peth a'i poenai am ei 'hunanladdiad' (fel y soniai ef am y digwyddiad) oedd iddo wlychu'i wely a'i fod wedi bod yn gorwedd yn ei ddŵr ei hunan am oriau ac yn gwybod hynny yn ei gwsg ac nad oedd e'n gallu gwneud dim am y peth.

'Pis, pis, pis,' meddai drosodd a throsodd, 'mae popeth yn bis.' Hwn oedd y trobwynt. Cawsai weledigaeth wrth orwedd yn y gwlybaniaeth 'na. Yn syth wedyn, mwy neu lai, dechreuodd ar gyfres o weithiau newydd gan ddechrau gyda bag plastig bach clir wedi'i lenwi â hylif tryloyw melyn. Glynnodd y bag hwn ar gynfas dan y geiriau mewn llythrennau *sans serif* du yn dweud 'Prince Charles' Piss'. Yr un nesaf oedd 'Melvyn Bragg's Piss' ac yna 'Jeffrey Archer's Piss'. Yn sydyn roedd e'n gweithio eto yn llenwi bag ar ôl bag â dŵr lliw piso (*lucozade* oedd e mewn gwirionedd) ac yn eu glynu ar gynfasau o dan enwau pobl enwog. 'Neil Kinnock's Piss', 'Margaret Thatcher's Piss', 'Tony Blair's Piss', 'A.A.Gill's Piss'. Doedd dim pall ar ei syniadau. 'Glenys Kinnock's Piss'. (Yn wahanol i'r lleill roedd yr hylif yn y bag hwn yn goch).

Tua'r un adeg dechreuodd Rita gyfres o luniau hynod o realaidd – y frenhines, Marilyn Monroe, Germaine Greer, Y Fam Teresa, Diana, Thatcher – ond bob tro, ac ym mhob achos, newidiodd yr wyneb am y *mugshot* enwog a bythgofiadwy o Myra Hindley – newidiodd hyd yn oed wyneb Rose West am un Myra Hindley yn ei gwaith mwyaf eironig.

Wel, 'does dim angen i mi sôn am yr effaith a gafodd eu dwy arddangosfa fawr yn ddiweddar, nac am ymateb y wasg a'r cyhoedd. Mae pawb yn gwybod beth ddigwyddodd pan agorwyd arddangosfa Robin yn Saatchi, sef 'Taking the Piss', a beth ddigwyddodd pan agorwyd yr arddangosfa yn dwyn y teitl 'Mam' gan Rita yn y South London Gallery. Mae Robin yn dal i wynebu sawl achos llys ac mae criwiau o ffeminstiaid yn dal i fygwth bywyd Rita (yn wir, tân-fomiwyd ei stiwdio unwaith; diolch i'r drefn doedd hi na Linda ddim yno ar y pryd). Ond ychydig o sylw a gafodd Linda ar ôl dyddiau'r Cŵn a'r Cathod ac ar ôl iddi roi'r gorau i'w phrosiect. Cyfeirir ati weithiau fel cyn-gariad Robin (y dyn Cŵn a Phiso) a chariad Rita (y fenyw Cathod a Hindley) ond suddodd ei stori i bydew o ddifaterwch.

Un diwrnod roedd hi'n teithio ar y trên trwy'r ddinas, fel yn yr 'hen ddyddiau', ond ar neges wahanol (nad yw'n cofio nawr beth oedd hi) pan welodd yr hen fenyw a arferai'i hambygio gyda'r Beibl. 'Doedd yr hen fenyw ddim yn nabod Linda ond roedd Linda yn ei chofio hi. Roedd hi'n mynd i lawr o'r trên mewn ardal na fyddai Linda byth yn ymweld â hi pan sylwodd Linda arni – menyw gyffredin yn mynd i lawr o'r tren, a Beibl yn ei llaw. Dyna pryd y cafodd Linda ei gweledigaeth. Dyna pryd y cafodd ei haileni.

Ofer disgrifio'r profiad – yn wir, nid yw Linda wedi ceisio'i ddisgrifio – ac oni bai fod hyn wedi digwydd i chi allwch chi ddim dirnad y peth o gwbl. Dim ond y sawl a ailaned a all ei amgyffred. Dyna pam nad yw Linda'n selog nac yn efengylaidd. Mae wedi gadael Rita ac mae'n byw ar ei phen ei hun mewn un stafell fechan uwchben siop anifeiliaid anwes. Yn y stafell mae celfi plaen, gwely, cadair, bord, wardrôb. Ond does dim byd ar y waliau a'r nesa peth i ddim yn y wardrôb. Yr unig bethau sy'n addurno'i chartref nawr yw'r ddau gerflun a brynodd mewn siop oedd yn arbenigo mewn hen bethau o'r Aifft – sef y ci Aniwbis a'r gath Bast – wrth allor y rhain y mae Linda yn addoli bob dydd.

Cennydd

FY NIWRNOD CYNTAF yn yr ysgol roedd Cennydd yno yn chwarae ar y si-so. Ac ar ôl hynny roedden ni'n anwahanadwy, fel Amlyn ac Amig *de nos jours*. Nes inni gyrraedd y lefn plys. Roedd Cennydd yn glyfrach na mi ac yn hapusach yn ei wersi. Pasiodd Cennydd a methais i. Aeth Cennydd i'r Ysgol Ramadeg i gael A neu B ym mhob pwnc. Es i i'r Ysgol Ganolradd Fodern i ddioddef. Canghennodd ein bywydau wedyn, er y bydden ni'n gweld ein gilydd yn yr Ysgol Sul gan fod ein mamau'n mynd i'r un capel. Gadewais yr ysgol ar y cyfle cyntaf heb unrhyw gymwysterau o gwbl. Aeth Cennydd ymlaen i basio stribed hir o lefelau O, un deg pedwar os cofiaf yn iawn (4 B, un C a'r lleill i gyd yn A) a phedair lefel A (anghofiwch amdana i am y tro); Cymraeg, Saesneg, Hanes a Chrefydd; a chael A ym mhob un ohonynt. Bangor wedyn i wneud gradd gyfun yn y Gymraeg a Hanes. MA, ac yn syth wedyn i'w swydd yn yr Amgueddfa Fach yn Aberdyddgu gan godi o ris i ris nes cyrraedd y pinacl – Curadur.

Nawr, i ddod yn ôl ataf i af i ddim i fanylu ar y swyddi amrywiol na'r profiadau annymunol a holl ymdrechion a throeon trwstan fy mywyd (daw'r cyfrinachau i gyd allan yn y cofiant mae Gerald Luckhurst yn sgrifennu amdanaf pan gaiff hwnnw'i gyhoeddi yn y man) nes i mi lwyddo i gael lle yng Ngholeg Celf a Drama Caerefydd. I ddechrau, modd i gael gymhorthdal a rhywbeth i'w wneud am dair blynedd oedd hi. Yna sylwodd fy nhiwtoriaid ar fy nawn actio a sylwodd y merched ar fy nhebygrwydd i'r Gregory Peck ifanc. 'Does dim eisiau mynd dros fy hanes o hyn ymlaen, fe wyddoch chi: rhannau bach mewn dramâu Cymraeg a Chymreig, un o'r prif rannau yn *Jaco a Jess* (f'unig waith Cymraeg o werth), y gomedi-sefyllfa boblogaidd a bytholwyrdd. Llundain wedyn, fy Romeo bythgofiadwy gyda Helen Sullivan (*Dame* Helen nawr, wrth gwrs), Hamlet gyda Jack Blaxter (Syr Jack nawr) a'r hen Syr John Richardson yn chwarae Polonius (yr Arglwydd John bellach), Coriolanus (gwell na Richard Burton, medden nhw), a'r uchafbwynt, prif ran yn 'y ddrama Albanaidd', gyda Judi. Rwy wedi gweithio gyda nhw i gyd, Syr Ian, Syr Derek, Syr Anthony (Tony i mi), *Dame* Diana, *Dame* Maggie. Cyfoedion. Cwympodd Helen a Jack mewn cariad â mi tua'r un pryd. Tipyn o benbleth i grwtyn o'r Cymoedd. Ond buan iawn y des i'n gyfarwydd â phethau fel'na (Helen a Jack yn gallu chwerthin am ben ein hatgofion nawr) yn enwedig pan es i i America a dechrau gwneud ffilmiau; bu'n rhaid i mi siomi llawer o'm cyd-actorion a'm cyd-actoresau. Fy llwyddiant mawr cyntaf, fel y cofiwch, yn ddiau, oedd *The Lotus Garden* – dros nos roeddwn i'n *heart throb, pin-up*, neu fel maen nhw'n dweud nawr yn *babe magnet*. Ar ôl imi wneud dau *blockbuster* arall, *The Solid Gold Remington* a *Six Days in the Country* (sydd yn rhyw fath o glasur, yn bennaf, efallai ar gorn y golygfeydd cari rhyngof fi a Mandee Yonatt) roeddwn i'n – wel gadewch inni weud 'yn ddigon cyfforddus', tŷ yn Hollywood, tŷ yn

Llundain ac *appartement* ym Mharis. Ond wnaeth pobl ddim dechrau fy nghymryd o ddifri fel actor nes i mi chwarae Teddy y trempyn yn *Pardon My Breath* (enwebiad am *Oscar*) a'r athrylith o lawfeddyg yr ymennydd yn *Painting the Sky* (*Golden Globe*). Ac yna, wrth gwrs, rydych chi'n cofio beth ddaeth nesaf, *Jaguar in the Park,* lle dw i'n chwarae Marco, y dyn anabl sydd hefyd yn *serial killer* (yr *Oscar* a *Bafta*). Anfarwoldeb! Fy urddo'n farchog. Oscar arall (*Don't Go to Newfoundland*) a, chwech enwebiad arall yn ddiweddarach, dyma nhw'n troi arnaf; y bitsh Malcolm Sweeny 'na yn sôn am y 'pouches under his eyes' fel 'pregnant brief cases', a'r hen gont Tania Crick yn fy ngalw i'n 'paunchy' ac yn awgrymu 'mod i'n gwisgo *toupée*! A finnau wedi talu ffortiwn i gael y gwallt 'ma wedi'i blannu yng nghroen 'y mhen! Ta beth, dw i ddim yn un i siarad amdana i fy hun (dw i wedi torri'r cyfweliadau lawr i ddeg ar hugain y flwyddyn yn ddiweddar) – sôn roeddwn i am Cennydd. Wel, roeddwn i wedi anghofio am yr hen ffrind ysgol. Yna, un diwrnod roeddwn i'n gorwedd wrth ochr y pwll nofio yn yfed *daquiri* pan ddaeth un o'm hysgrifenyddion ataf i ddweud eu bod nhw wedi derbyn pecyn anghyffredin o 'Wales' a dylswn i ddod i edrych arno. Pa fath o becyn od gofynnais i; siwtces, meddai fe. Siwtces? Mewn ewyllys, meddai fe.

Gwisgais a mynd i'r swyddfa lle'r oedd Paul yn eistedd gyda hen siwtces brown mewn deunydd craciedig a ymhonnai fod yn lledr. Darllenodd Paul lythyr trist oddi wrth fodryb Cennydd yn dweud bod fy hen ffrind wedi marw'n sydyn un diwrnod wrth ymlwybro i fyny'r twyn yn Aberdyddgu i gyfeiriad ei gartref yn cario chwe chwdyn plastig trymlwythog o negesau. Roedd ei farwolaeth yn hollol annisgwyl, bu'n gweithio wrth ei ddesg yn ei swyddfa yn yr Amgueddfa hyd y diwrnod cynt. Ar wahân i'w fodryb 'doedd ganddo ddim teulu (phriododd e ddim), dim ffrindiau hyd yn oed. Doedd 'na ddim ewyllys, fel y cyfryw. Cafodd ei fodryb bopeth a phan welodd honno gynnwys y siwtces fe'i hanfonodd ataf.

Cymerais y siwtces i'm cell fy hun a'i agor yn betrus heb amcan beth i'w ddisgwyl. Roedd e'n llawn o lyfrau lloffion mawr sgwâr. Dilynasai Cennydd fy ngyrfa'n ffyddlonach na'm mam er dyddiau *Jaco a Jess* gan gofnodi pob cam, pob symudiad o'm heiddo fel actor – pob rhan fach neu fawr, a chwaraeswn, pob adolygiad a gawswn, ffafriol neu fel arall. Bu Cennydd yn amlwg yn *completetist,* fel y gweddai i guradur amgueddfa; nid oedd 'da fi fy hun archif i'w gymharu â hwn – yn ei rwyd daliasai Cennydd bysgod bach roeddwn i wedi anghofio'n llwyr amdanynt ac nad oedd ymchwil manwl fy nghofiannydd wedi dod o hyd iddynt.

Nawr, buasai unrhyw gasgliad o'r fath ffanatigol hwn wedi codi calon actor i'r entrychion – ond, ochr yn ochr â phob llun ohonof, pob erthygl, pob adolygiad, pob cyfweliad, yn gyfochr rhedai cofnodion a darluniau Cennydd ei hun. Roedd y rhain yn amgylchynu ac yn boddi'r toriadau'u hun. Roedd ei sgrifen yn agored, yn grwn, twt ond plentynnaidd – wrth ffurfio'i lythrennu roedd e wedi pwyso'n drwm fel bod sgrifen naill ochr tudalen yn dangos ar yr ochr arall. Defnyddiasai bensiliau lliw neu *crayons* ar gyfer y sgrifeniadau toreithiog hyn, pob lliw dan haul. Ochr yn ochr â phob llun ohonof roedd Cennydd wedi tynnu'i luniau'i hun – gwawdluniau. 'Co fi yn *Jaco a Jess* a'm llygaid yn chwyddedig a'm trwyn yn smwt, a 'co fi fel Romeo â chyrn yn tyfu o'm pen a dannedd cwningen. Yn ei fersiwn ef ohonof fi o'r *Lotus Garden,* pan oeddwn fwyaf golygus ac ar fy ngorau, roeddwn i'n greithiau ac yn gleisiau i gyd, fy llygaid yn goch ac yn gythreulig. Yn *Six Days in the Country*, yn yr olygfa lle dw i'n caru'n borcyn, mwy neu lai, gyda Mandee Yonatt, roedd Cennydd wedi fy narlunio fel anghenfil hyll a choeden ryfedd yn tyfu ma's o'm pen-ôl. Wrth ochr y lluniau ohonof fi yn *Pardon My Breath* roedd e wedi fy ngwisgo mewn ffrog flodeuog a het gantel fawr â rhuban ar 'y mhen. Ac yn lle'r gadair olwyn yn *Jaguar in the Park* roedd Cennydd wedi fy rhoi i eistedd... wel ar y toiled, a 'nhrowsus o gwmpas fy fferau... a gwell peidio â manylu ar bethau eraill yn y llun hwn. Ac wrth imi heneiddio (waeth imi gogio ddim) âi'i ddigrifluniau'n greulonach byth.

Am ei sgrifeniadau sbeitlyd a dilornus allwn i ddim rhoi crynodeb ohonynt i gyfleu'r naws, na dyfynnu darnau heb wneud cam â'r rhaeadr wenwynig, ffiaidd a arllwysid o fin ei bensiliau amryliw. Gwell tewi.

Ond be' wnes i iddo i ennyn y fath gasineb di-ffrwyn? Mae'n ymddangos i'w ddicter gychwyn gyda'r smic cyntaf o sylw a ddaeth i'm rhan pan gerddais y llwyfan gyntaf mewn cynhyrchiadau o ddramâu Cymraeg anghofiedig. Ac fe gynyddodd ei ddrwgdeimlad wrth i'm gyrfa ddramatig fynd o nerth i nerth nes ffrwydro mewn cyflafan o atgasedd wrth i mi gyrraedd y brig ar ôl f'Oscar cyntaf a'm dyrchafu'n farchog. Nid bod ei ffromedd wedi pallu ar ôl hynny, i'r gwrthwyneb, roedd e'n gallu'i gynnal ar yr un lefel o sgrechfeydd erchyll o natur ddrwg mewn darlun ar ôl darlun, ffug-adolygiad ar ôl ffug-adolygiad. Pan wnes i gyfweliad hir a ffilm am fy mywyd yn dwyn y teitl *Valleys Boy: A Tribute* cymerodd Cennydd chwe thudalen lydan i fynegi'i gynddeiriogrwydd.

Gwallgof? Cyflogais dri ditectif i wneud ymholiadau dirgel yn ei gylch yn Aberdyddgu. Cefais lun clir o'i fywyd hynod o syml. Roedd ei fywyd yn rhedeg fel cloc; gweithiai yn yr Amgueddfa bob dydd o naw tan bump, ddydd Llun i ddydd Gwener; bob dydd Sadwrn byddai'n mynd i Aberdyddgu i siopa a chario'i neges yn ôl lan y bryn i'w gartref (fel roedd e'n gwneud y diwrnod y bu farw mor ddisymwth); gwisgai gôt ddyffl frown, siwmper, trowsys melfaréd, sgidiau swêd; âi am bythefnos o wyliau bob blwyddyn ym mis Awst i Morecombe; dyn cwrtais wrth ei gydweithwyr a'i gymdogion; anaml yr âi allan i gymdeithasu; darllenai drwy'r nos yn ei dŷ; hyd y gwyddai neb doedd ganddo ddim ffrindiau; dim anifeiliaid anwes; dim diddordebau y tu allan i'w waith. Ond gwyddwn i bellach fod ganddo hobi na wyddai neb arall amdano, un a lenwai'i amser sbâr – sef, y fi. Gwnaethai ei lun ohonof dim ond er mwyn ei falu drosodd a throsodd.

Y llynedd cyhoeddais fy mwriad i ymweld â bro fy mebyd. Sefydlwyd pwyllgor yn nhref fy ngenedigaeth i reoli'r trefniadau i'm croesawu. Gwyddwn i am hyn, afraid dweud, ond ychydig a wyddwn am fanylion y paratoadau ac ni phoenwn amdanyn nhw. Ond dysgodd y ditectyddion taw Cennydd oedd cadeirydd anrhydeddus y pwyllgor.

Edrychais drwy'r llyfrau lloffion unwaith eto – yn frysiog, yn llechwraidd, yna eu rhoi yn y ces a'u cario i'r ardd a gofyn i Joe y garddwr eu llosgi ar ei goelcerth. Gwyliais nes bod y tân wedi troi'r ces a'i gynnwys yn lludw. Doeddwn i ddim eisiau i Gerald Luckhurst gael ei bawennau ar ddim un ohonyn nhw. Yna es i'n ôl i'r tŷ a gofyn i Paul ganslo'r ymweliad â'm cartref. Pam? Gan nad oedd ond mis arall tan yr ymweliad hwnnw, byddai ar bobl eisiau gwybod pam. Gwed, meddwn i, 'mod i wedi troi'n feudwy. Mae'n wir, fel Greta Garbo.

Jini

'DOES DIM LLUN ohoni'n bod ond mae sawl un yn ei chofio, o'r hen bobl, ac yn ei disgrifio hi fel menyw anghyffredin o dal, dros chwe throedfedd, efallai, yn denau fel llathan, yn gefnsyth, drwynsur. Roedd ei hwyneb, medden nhw, yn galed, y llygaid hefyd yn galed. Boneddiges oedd hi, bob amser yn gwrtais ac yn ddigon caredig yn ei ffordd hyd-braich. Phriododd hi erioed, er bod ganddi gariadon, medden nhw, yn ei gorffennol. Ond peth niwlog oedd gorffennol Miss Jini Blackburn-Jones. Daethai o rywle ond wyddai neb o ble, ni chofiai neb.

Roedd hi'n byw ar ei phen ei hun mewn tŷ bychan, heb fod yn fwthyn, darlun plentyn o dŷ – sgwâr, drws yn y canol, pedair ffenestr, llwybr syth at y drws, lawnt bob ochr, y blodau mewn rhesi ar hyd yr ymylon. Ond doedd neb yn y pentre wedi bod i'w thŷ. Doedd gan Miss Blackburn-Jones ddim cyfeillion yn y pentre.

Gwelid hi yn mynd i'r pentre i gael neges, yn twtio'i gardd berffaith-gymen, yn mynd am dro gyda'i chi pecinî a gerddai wrth ei sodlau ar dennyn hir weithiau; bryd arall câi'i gario o dan ei chesail a'i gynffon fel pluen. Ni wyddai neb enw'r ci hyd yn oed. Roedd ei dillad fel arfer yn ddu ac weithiau gwisgai hetiau du hefyd, rhai gyda chantel llydan. Meddyliwch am Virginia Woolf, Karen Blixen yn ei henaint,

Edith Sitwell, a dyna'r fenyw, creadures esgyrnog, estynedig fel petai, y math o aderyn sy'n lladd ei gywion ei hun.

Ond roedd hi'n Gymraes Gymraeg ac yn gapelwraig ffyddlon. Canai'r emynau mewn llais contralto a gallai daro nodau uchel ac isel fel ei gilydd, mor eang oedd ei rhychwant lleisiol. Roedd ei llais yn gryf a chyfoethog ac enillasai rubannau glas iddi yn yr Eisteddfod Genedlaethol, medden nhw eto – ond nid oedd hynny'n anodd ei gredu o'i chlywed yn canu yn y capel.

Doedd ganddi ddim car, yn wir, ychydig o fenywod oedd yn berchen ceir y pryd hwnnw, a hyd y gwyddai neb, yn bur anaml yr âi yn bell o'i chartref yn y pentref.

Wedi dweud hynny, un tro aeth Mr a Mrs Edwards ar eu gwyliau i Ffrainc, i Paris, ac roedden nhw'n cerdded yn y *Tuilleries,* fel mae'n digwydd, ac roedd y tywydd yn braf ac roedd 'na lawer o bobl a phlant yn cerdded o gwmpas. Yna, yn ôl Mrs Edwards, troes at ei gŵr a dweud," 'Co pwy sy'n dod, Robert".

Yn cerdded tuag atyn nhw gyda phecinî ar dennyn hir yr oedd Miss Jini Blackburn-Jones, ond roedd ei dillad i gyd yn wyn a'i het gantel llydan ac roedd hi'n gwisgo sbectol haul dywyll.

"Wel, wel," meddai Mrs Edwards wrthi, "pwy fase'n disgwl cwrdd â chymydog yma, Miss Blackburn-Jones?" Ond, dywedodd y fenyw rywbeth yn Ffrangeg a cherdded heibio iddynt yn ffroenuchel. Dywedodd pawb fod Mr a Mrs Edwards wedi gwneud camsyniad, a'u bod nhw wedi gweld rhywun eithaf tebyg i Miss Blackburn-Jones, ei dwbl efallai, ond nace hi. Ond, na, dderbyniai Mrs Edwards mo hynny, hyhi oedd hi yn bendant a neb arall, fyddai hi ddim byth yn gwneud camgymeriad fel 'na. Ac yn rhyfedd iawn ni allai neb gofio gweld Miss Blackburn-Jones yr wythnos honno pan oedd Mr a Mrs Edwards ar eu gwyliau. Nid bod dim byd arbennig o anghyffredin ynglŷn â hynny, chwaith. Weithiau fyddai neb yn gweld Miss Blackburn-Jones am wythnosau bwygilydd.

Tua diwedd ei hoes rydw i'n ei chofio hi pan oedd hi'n hen a musgrell, a'i gwallt o dan ei hetiau hen-ffasiwn yn burwyn mewn cocyn, a mwy o linellau ar groen ei hwyneb nag ar fap dinas fawr. Roedd hi wedi mynd i blygu a cherddai'n araf gan ddefnyddio ffon ddu gaboledig gyda bwlen arian iddi. Pan oeddwn i'n blentyn ofnwn taw hen wrach oedd hi, ond wrth imi brifio ac wrth iddi hi heneiddio gwelwn ei bod yn hen fenyw unig, ddiniwed a digon addfwyn er yn enbyd o swil.

Un diwrnod, wrth ei gweld hi'n ymlwybro'n wyneglyd i gyfeiriad y siopau cynigiodd fy mam fynd i gael y neges drosti. Yn hwyrfrydig ar y dechrau, oherwydd rhyw hunanfalchder, derbyniodd yr hen wraig y cynnig yn ddiolchgar. Byddai fy mam yn mynd i gael neges ar ran sawl un o'i chymdogion hen a thost. Roedd hi'n arfer casglu hen bobl, ac yn y man ychwanegwyd Miss Blackburn-Jones at ei rhestr a byddai'n mynd i siopa drosti yn gyson bob wythnos. Byddai Miss Blackburn-Jones yn dod at y drws i dderbyn y nwyddau ond fyddai hi byth yn gwahodd Mam i'r tŷ nac yn cynnig dishgled o de iddi. Wedi dweud hynny byddai'n ddiolchgar dros ben, bob tro, ac yn mynnu rhoi rhywbeth bach i Mam am ei charedigrwydd. Nid dyna'r rheswm pam y byddai Mam yn siopa dros yr hen fenyw; roedd hi'n poeni amdani.

" 'Sneb 'da hi, druan ohoni, ar ei phen ei hun yn y tŷ 'na. Be' 'sa hi'n cwmpo, neu'n mynd yn dost?"

Ac felly y bu hi, yn anochel, yn y diwedd. Aeth Mam i'r tŷ un diwrnod i gnocio wrth y drws i ofyn a oedd hi'n mo'yn rhywbeth o'r pentre. Bu'n rhaid iddi ddisgwyl wrth y drws am amser hir ond o'r diwedd daeth yr hen ferch i'w agor. Roedd ei gwallt gwyn hir yn hongian lawr dros ei hysgwyddau a doedd hi ddim wedi gwisgo'n iawn, dim ond yn ei gŵn nos. Dyna falch oedd hi i weld Mam. Bu'n dost yn ystod y nos, meddai. A dyna'r tro cyntaf i Mam gael mynd i mewn i'r tŷ. Roedd popeth fel pin mewn papur, yn lân ond yn oer ac yn foel. Doedd dim un llun ar y waliau, dim clustogau ar y cadeiriau. Roedd y celfi i gyd yn hen iawn a'r rhan fwyaf ohonyn nhw'n bren ac o wneuthuriad da. Lle chwaethus heb fod yn gartrefol. Roedd 'na ddwy gadair esmwyth bob ochr i'r lle tân (heb dân) y naill yn ddiglustog a'r llall yn glustogau i gyd ac yn gorwedd arnyn nhw, yr unig beth yn y lle â golwg gartrefol arno, y ci bach.

Dywedodd Miss Blackburn-Jones ei bod hi'n poeni am y ci; 'tasai rhywbeth yn digwydd iddi hi pwy fasa'n edrych ar ôl y ci?

Y tro hwnnw rhoes allwedd i'w thŷ i Mam.

Daeth yn well wedyn am dipyn a dod yn lled-gyfeillgar gyda Mam a dweud wrthi am ei galw hi'n Jini. Ond doedd hi ddim yn gallu cerdded yn bell, felly Mam fyddai'n mynd i gael ei neges hi bob wythnos.

Un bore dydd Gwener, yn ôl ei harfer, aeth Mam i gnocio ond ni ddaeth ateb er y gallai hi glywed y ci yn cyfarth yn y tŷ. Bu'n poeni am y diwrnod hwn ers tro. Agorodd y drws â'r allwedd. Galwodd i fyny'r grisiau.

"W-w! Fi sy 'ma, Jini! Jini?"

Gwaeddodd eto heb gael ateb, felly aeth lan stâr. Roedd Jini yn gorwedd yn ei gwely ac wrth ei golwg roedd Mam yn gwybod yn syth ei bod hi wedi marw. Aeth i alw ar Dr Fisher.

Yn nes ymlaen roedd Mam – fel yr unig gymdoges a oedd yn nabod yr ymadawedig – yn helpu Nyrs Pritchard i ddiweddu'r corff. Roedd y nyrs yn tynnu'r dillad pan ollyngodd sgrech – sgrech syndod yn hytrach na dychryn, wa'th taw nyrs brofiadol iawn oedd Nyrs Prichard.

"Disgwl," meddai wrth mam, "dyn yw hi!"

Galwyd ar yr heddlu, ac er iddyn nhw ymdrechu'n daerach na thaer ni allen nhw ddod o hyd i neb oedd yn gwybod pwy oedd 'Jini Blackburn-Jones' mewn gwirionedd nac o ble y daethai. Doedd 'na ddim perthnasau na dim ewyllys na dim dogfennau yn y tŷ a oedd yn taflu unrhyw oleuni ar y mater. Yn ei adroddiad ar y farwolaeth bu'n rhaid i Dr Fisher sgrifennu 'Dyn... anhysbys.' Roedd 'na arian mewn cyfrif banc dan yr enw 'Jini Blackburn-Jones' a neb i'w etifeddu. Aeth y tŷ yn wag nes iddo fynd â'i ben iddo. Cymerodd Mam y ci – ond gast oedd hwnnw – a rhoi'r enw Swci arni. Doedd Mam ddim mor hoff o gŵn nes iddi etifeddu Swci, ond allai hi ddim gadael i'r creadur lwgu yn y tŷ, a chollodd ei chalon i Swci wedyn a'i chadw am bum mlynedd arall ar ôl marwolaeth ei meistres – ei meistr.

John Williams Tresalem, John Ford, Lillian Gish a D W Griffith

YMFUDODD JOHN WILLIAMS o Dresalem i America yn 1894, wedi methu cadw gwaith o unrhyw fath am fwy nag ychydig wythnosau ar y tro a heb unrhyw addysg na doniau nac arian na gwybodaeth ond sut i farchogaeth ceffyl. Aethai yno heb unrhyw amcan heblaw cael gwaith a gwneud bywyd newydd iddo'i hun. Bu farw yn niwedd y Dirwasgiad Mawr yn dlotach nag yr oedd pan gyrhaeddodd y Byd Newydd ac wedi'i siomi yn llwyr. Ond yn y cyfamser fe'i hanfarwolwyd ac fe gyfarfu â thri o gymeriadau pwysicaf hanes byd y ffilmiau. Fy mwriad yn hon o erthygl fer yw crynhoi uchafbwyntiau buchedd y Cymro anadnabyddus ond rhyfeddol o freintiedig hwn. Yn ei ben, mae'n siŵr, roedd gan John Williams atgofion a syniadau dyfnion a mawr am fyd y ffilmiau cynnar a ffigurau mawr y byd arallfydol hwnnw, ond ni lwyddodd i draethu'r pethau hyn oherwydd nad oedd e ddim yn llenor nac yn wneuthurwr ffilmiau.

Fe'i gwelir yn glir mewn llun llonydd o'r ffilm dawel *Birth of a Nation* yn y llyfr *The History of Movies* cyf.1, gol. Isaac Jordan (New York, 1967). Efe yw marchog yr ail geffyl ar y dde y tu ôl i glust Miss Lillian Gish. Ond mae'n anodd ei adnabod; yn wir, ni fuasai'i hen fam ei hun yn ei adnabod (pe buasai honno wedi cael byw i weld y llun) gan ei fod wedi'i wisgo o'i ben i'w sawdl mewn llen gwyn â dim ond tyllau ar gyfer ei lygaid, oherwydd un o wŷr y *Ku Klux Klan* oedd ei ran yn y ffilm enwog ac arloesol (a gwarthus o hiliol) honno.

Gadewch inni neidio dros hanes ei flynyddoedd cynnar yn America – yn ddigywilydd o ddewisol, fel pe na bai pob eiliad o fywyd dyn yn werth ei gofnodi yn unigol. Cyfnod hir o symud o ddinas i ddinas ac o jobyn i jobyn a chyfnod o ddygn dlodi oedd hwn. Yr union fath o gyfnod y neidir drosto ym mhob ffilm er *Citizen Kane.* Down o hyd iddo wedyn ar stryd mewn dinas fawr arall (Efrog Newydd, San Francisco, Chicago, dim gwahaniaeth pa un) y diwrnod tyngedfennol hwnnw pan welodd hysbyseb neu pan ddywedodd rhywun wrtho neu pan glywodd rywsut neu'i gilydd fod y gwneuthurwr ffilmiau enwog a chyfoethog – ar y pryd – D W Griffith yn chwilio am ddynion i reidio ceffylau yn ei ffilm newydd. *The Klansman* oedd teitl y gwaith arfaethedig; newidiwyd y teitl ar y gwaith gorffenedig. Nid bod prinder dynion a allai reidio ceffyl yn America, ond roedd ar Griffith eisiau llawer o ddynion ar unwaith ac roedd John Williams yn digwydd bod yn y lle iawn ar yr amser iawn. Felly cafodd John Williams y gwaith ac anfarwoldeb yr un pryd. Pe buasai wedi dewis cerdded i lawr stryd arall, dyweder, y diwrnod hwnnw, ni fyddai sôn amdano, na llun ohono yn *The History of the Movies*.

Doedd e ddim yn actor go-iawn yn y ffilm honno, wrth gwrs; doedd e ddim yn un o'r *Klansmen* a gafodd y fraint o ddatguddio'i hwynebau yn y ffilm ond bu'n agos iawn at Miss Gish; gallasai'n hawdd fod wedi estyn ei law a chyffwrdd â'i gwallt yn yr olygfa honno o ble y codwyd y llun enwog.

Yn hytrach roedd John Williams yn un o'r rheini a elwid yn *supers* gan Mr Griffiths – ond a elwir yn *extras* yn awr.

Roedd gan Mr Griffith ei eiriau'i hun am bopeth. Siaradai am y *Kinema*; 'c' galed, nid 's', 'ei' nid 'i' hir, agored, nid 'i' ddiymhongar gwta: *Ceiniiima*. Ar ddechrau pob golygfa ffilmio gwaeddai *'commence'* lle mae cyfarwyddwr yn awr yn gweiddi *'action'*. Ac ar y diwedd neu ar doriad, *'cease'* fyddai'i orchymyn bob amser. Eto i gyd, Mr Griffith a roes i'r grefft o wneud ffilmiau ei 'gramadeg'; Miss Gish ei hun a ddywedodd hynny. Ac ar ôl gweithio iddo fe roedd yn anodd iawn mynd at gyfarwyddwr arall.

Un tro, yn ystod ffilmio *Birth of a Nation* mentrodd Williams gyfarch Mr Griffith yn Gymraeg, gan feddwl yn siŵr ei fod yn hanu, fel yntau, o'r hen wlad – yn wir, onid oedd pregethwr o'r enw D W Griffith wedi dod i gapel Salem yn Nhresalem ar sawl achlysur?

"Prynhawn da, Mr Griffith, diwrnod braf i dynnu lluniau," meddai John Williams.

"Get to your position, boy," atebodd D W Griffith, *"and don't give me that immigrant talk."*

Hiliol neu beidio, Iddew o dras, yn hytrach na Chymro, oedd Griffith. Ymhlith y 1,800 o actorion eraill yn *Birth of a Nation* (y rhan fwyaf ohonyn nhw'n *supers*) cyfarfu John Williams â dau arall a logwyd i reidio ceffyl, a John oedd enw'r ddau. John Ford oedd y naill – cyfarwyddwr a enillodd bedwar *Oscar,* y record i gyfarwyddwr hyd yn hyn, cyfarwyddwr y ffilm a enillodd yr *Oscar* am y ffilm orau ym 1941 (gan guro *Citizen Kane*) a'r *Oscar* am y cyfarwyddwr gorau yr un flwyddyn (gan guro Orson Welles) – sef *How*

Green Was My Valley. Ond ym 1914 doedd John Ford ddim yn gwybod dim am Gymru.

"That's a funny accent you got," meddai wrth John Williams. *"Where you from?"*

"Wales," meddai John Williams.

"Where's that?"

"*Great Britain.*"

"*Oh, England.*"

Ond mae lle i gredu i John Williams blannu'r hedyn o ddiddordeb mewn ffilm am Gymru yn nychymyg John Ford y diwrnod hwnnw.

John Jones oedd y llall – Cymro Cymraeg o Ruthun a aeth yn ei flaen i wneud enw iddo'i hun ym myd busnes a dod yn filiwnêr sawl gwaith drosodd. Ond doedd e ddim yn llenor ac ymddangosodd e ddim yn y ffilm nac mewn unrhyw ffilm arall, felly does dim pwynt inni gofnodi'i sgwrs ef a John Williams, er ei bod yn Gymraeg.

Roedd un cyfarwyddwr bydenwog arall yn yr hen glasur, sef Erich von Stroheim – trulliad Gloria Swanson yn *Sunset Boulevard,* wrth gwrs – ond ni chyfarfu John Williams â hwnnw, hyd y gwyddys.

Am weddill ei oes coleddai John Williams y syniad ei fod yn actor – nid y gobaith o fod yn actor, sylwer, eithr yr argyhoeddiad disigl ei fod eisoes wedi dod yn actor. Onid oedd e wedi actio yn y ffilm enwocaf yn y byd? Ac oni allai bwyntio ato'i hun yn y ffilm honno gan weiddi, ' 'Co fi nawr, jyst tu ôl i Miss Gish'? Eithaf gwir, ond hunan-dwyll oedd y cyfan, oherwydd ni chafodd John Williams waith yn yr un ffilm arall wedyn a bu'n rhaid iddo grafu bywoliaeth mewn sawl ffordd 'rhwng ffilmiau' – a bywyd o fod 'rhwng ffilmiau' oedd oes John Williams – ond fel y dywedwyd, ni ddaeth ail gyfle. Ac eto, yr eiliad hwnnw lle y ceir cipolwg arno y tu ôl i glust Lillian Gish oedd ei fywyd. Dibwys oedd popeth arall a ddaeth i'w ran cyn hynny ac wedyn.

Un tro yn y dauddegau ym Manhattan tra oedd e'n cerdded i lawr un o'r strydoedd prysur fe welodd Lillian Gish yn cerdded gyda'i chwaer Dorothy – roedd y ddwy wedi bod yn *Orphans of the Storm* a *Way Down East* gyda'i gilydd.

"Miss Gish? Don't you recognise me? I was in Birth of a Nation *with you,"* meddai John Williams, yn pefrio gan eilunaddoliaeth.

"Give him some money for a drink, Dorothy," meddai Lillian Gish, *"and let's get away."*

Wrth i'r ddwy droi ar eu sodlau clywodd John Williams ei gyd-seren yn dweud rhywbeth wrth ei chwaer; *rum* neu *bum,* efallai. Roedd yr actoresau wedi rhoi *dime* iddo, ie, dime.

Erbyn y tridegau roedd John Williams wedi'i ddadrithio ac wedi colli'i iechyd. Un noson gadawodd ei stafell fechan druenus oherwydd roedd sŵn y cymdogion o Puerto Rico yn annioddefol ac aeth am dro er ei bod yn ddychrynllyd o oer. Bu'n lwcus yr wythnos honno gan ei fod wedi cael gwaith mewn storfa corbys ac ar ben ei dâl cawsai sach o gorbys am ddim a olygai y gallai fyw yn gymharol fras am bythefnos. Penderfynodd yr âi i weld ffilm.

"Dim ots beth," meddyliai, "gwnaiff rhywbeth y tro. Lle i gadw'n dwym dw i eisia."

Teitl y ffilm yr aethai i'w gweld oedd *Sorrows of Satan,*

ond chymerodd John Williams fawr o sylw a buasai wedi mynd i gysgu oni bai i hen ddyn â thrwyn mawr ddod i eistedd wrth ei ochr a mynnu siarad ag ef.

"Silents have had it," meddai'r dieithryn. *'Silence has had it,'* meddyliai John Williams.

"The talkings – as I call them – have taken over. I'm going to write my autobiography."

Dyna pryd y sylweddolodd John Williams taw neb llai na D W Griffith ei hun oedd y dyn. Roedd e'n hen a thlawd, fel yntau, ac yn amlwg wedi colli'i bwyll; roedd e'n siarad ag ef ei hun yn bennaf. Doedd neb wedi clywed am D W Griffith ers blynyddoedd. Roedd ei ffilmiau wedi methu ac wedi achosi colledion mawr. Teimlai John Williams drueni drosto.

"Do you remember me? I was in Birth of a Nation."

"The greatest film ever made. I made it. Motion pictures are immortality."

'Anfarwoldeb,' meddyliai John Williams. Oedd, roedd e'n anfarwol, yn annileadwy yn y ffilm. Byddai'n bod hyd yn oed ar ôl ei farwolaeth. 'Y ffilm sy'n byw nawr, nage fi,' meddai wrtho'i hun, wrth iddo edrych lan at y sgrîn. Yna troes at y darpar hunan-gofiannydd eto.

"I spoke Welsh to you once."

"But I think Intolerance *was my masterpiece."*

Ar hynny cododd John Williams ac wrth iddo wthio'i ffordd heibio iddo safodd â'i holl bwysau ar draed D W Griffith.

"Cease," gwaeddodd y cyfarwyddwr chwedlonol. *"Cease!"*

Recsarseis Bŵc

neu: Meri a Mwy (ar Sado-Masocistiaeth) nag Ambell Chwip Din

neu: *Sut i shgwennu storis i bobol Cymru os yw'ch Cymraeg yn* crap *drwy smalio shgwennu fatha plentyn bach mewn tafodiaith a chael getawê*

MAE MAMI JYSD DI RHOID FI i swatio yn gwely i fynd cici-beis achos mae Anti Poli (bronna jeli) a Dewyth Jaco (ogla baco) 'di dŵad 'ma heno i gael pryd o fwyd efo Mami a Dadi.

"Dos i gici-beis rŵan," medda Mami ar ôl iddi roid sws imi a chyn iddi gau'r drws. Ew, lwcus iddi ddeud hynna cyn iddi gau'r drws yntê neu faswn i ddim di chlwad hi nafswn?

Ond dwi'm yn mynd cici-beis, dwi'n swatio dan ddillad gwely efo *torch* a recsarseis bŵc mae Dewyth Jaco 'di rhoid imi fel presant heno. Dwi'm yn mynd cici-beis achos dwi'n mynd i shgwennu'r Nofal Fawr Gymrâg heno 'ma. Ond mae'n anodd anodd shgwennu a llunio brawddeg *à la* Flaubert dan ddillad gwely 'lly dwi'n meddwl picio lawr grisiau'n slei bach a mynd i guddiad dan bwr' a gwrando ar y bobol fawr yn siarad. Dwidi gneud hyn o'r blaen a 'nath neb 'nal i. Mae'n beth hawdd i hogyn bach fatha fi.

Dyma fi'n dringo lawr o'r gwely, 'lly, yn cripian lawr y grisia fatha llygodan gan watsiad y grisia sy'n gwichian. Toes dim un o'r bobol fawr yn sylwi arna i wrth lwc gan bo fi mor dawal, fatha pluen yn 'reira. A dyma fi'n llithrad dan bwr' fatha pry cop. Ew, 'na chi le 'di dan bwr '. Mae'r llian yn hongian dros 'rymyl ac yn eich cuddiad ac mae hi fatha bod mewn paball.

Mae hogyn bach fatha fi'n goro bod yn ofalus dan bwr cofn iddo gael ei gicio gin y bobol fawr, wedyn basan nhw'n gwbod 'mod i yno, nbasanhw? 'Lly dwi'n cwrcydu reit ynghanol dan bwr fel bod y coesa mawr i gyd o'n amgylch i. Roedd Mami 'neistedd gyferbyn â Dewyrth Jaco a 'Nhad 'neistedd gyferbyn ag Anti Poli achos o'n i'n nabydded eu coesau a'u sgidia. Roedd y bobol fawr yn siarad dros ei gilydd a toeddwn i'm yn dallt beth o'n nhw'n ddeud. Ond tua hanner ffor drwy'r noson, a phawb yn cael eis crîm ond y fi, dyma Dewyth Jaco yn gwthiad un o'i sgidia i ffwr' efo'r naill droed ac yn rhoid ei droed â'r hosan â phatrwm fatha diemwntia melyn a choch arni i fyny sgert Mami, rhwng ei choesa. Ac yn nesmlaen, dyma 'Nhad yn tynnu'i esgid o off 'run fatha Dewyth Jaco ac yn rhoi ei droed â'r hosan nefiblw i fyny sgert Anti Poli rhwng ei choesa. A phawb yn dal i glebran am y tywydd a pholitics a chrefydd dros ei gilydd.

MYND I RYSGOL

Tydwi'm 'di cochwyn shgwennu'r Nofal Fawr Gymrêg to. Dwi'n goro mynd i 'rysgol efo Wil Ifas Jac, Twm Siôn Now, Nia Cwt Gwydda a Sincin Lôn Pricia a mae rhaid inni gerad 'rhyd Lôn y Mynydd, deunaw milltir i 'rysgol, achos 'toes dim ceir achos yn y gorffennol euraid hiraethus mae'r stori hon fel stori pob llenor ansicr o'i dreigliadau sy'n shgwennu mewn tafodiaith ogleddol ond amhenodol ei lleoliaid ac o safbwynt plentyn na ŵyr ei abiec.

Wil Ifas Jac ydi ffrind fi, ond tydi Wil Ifas Jac ddim isio siarad efo fi achos mae o'n deud 'mod i'n drewi achos dwi'n goro mynd at Nain i fyw ohydacohyd achos bod Mam a 'Nhad yn ffraeo ohydacohyd. Mae Twm Siôn Now yn dilyn fi bobman achos mae o isio bod yn ffrindia efo fi ond toes neb yn licio Twm Siôn Now achos mae o'n dew ac yn eich dilyn chi bobman. Mae Wil Ifas Jac isio bod yn ffrindia efo Sincin Lôn Pricia ond mae Sincin Lôn Pricia yn fawr ac yn deud 'ffyc off' wrtho fo achos mae Sincin Lôn Pricia isio bod yn ffrindia efo Nia Cwt Gwydda achos mae gan Sincin Lôn Pricia flew dan ei geseilia a blew o amgylch ei geillia ac mae o isio dangos y rheini i Nia Cwt Gwydda. Ond hogan bach 'run oedran â fi a Wil Ifas Jac a Twm Siôn Now ydi Nia Cwt Gwydda a toes dim diddordab gin Nia ym mlewiach Sincin Lôn Pricia. Mae hi isio cerad efo Wil Ifas Jac a Twm Siôn Now ond 'dan ni'n deud 'ffyc off' wrthi achos bod hi'n hogan.

Reit sydyn dyma Sincin Lôn Pricia yn colli limpyn efo Nia Cwt Gwydda hanner ffor' i 'rysgol ac yn ei thynnu i'r gwrychoedd ar ochor lôn, gerfydd ei braich, a dyma fo'n ei phinio hi i'r llawr rhwng ei goesa blewog. A dyma fi a Wil Ifas Jac a Twm Siôn Now yn sbio arnyn nhw drw'r canghenna'. A dyma Sincin Lôn Pricia yn tynnu'i drôns lawr ac yn dangos ei bidlen fawr goch a'i flew i Nia Cwt Gwydda. Ond mewn chwinciad dyma Nia yn tynnu cwmpawd allan o'i bag 'rysgol ac yn sodro'r sbeic yn pidlen Sincin gan ddeud "Dyma rwbath i chdi, Ffycar!" A dyma Sincin yn agor ei geg yn fawr a'i ligid yn fawr fatha lligid gwdihŵ ac yn gafael yn ei bidlen a dim sŵn yn dŵad allan o'i geg o a'i wyneb yn troi'n wyn. Cododd Nia a sythu'i dillad a cario mlaen i gerad ar hyd Lôn y Mynydd i 'rysgol.

A dyma Sincin Lôn Pricia yn gollwg sgrech o'r diwadd, sgrech fatha mochyn yn cael ei ladd mewn ffilm wedi'i seilio ar nofal Eingl-Gymreig am gefn gwlad Cymru stalwmstalwm, sgrech fatha cath yn cael ei thaflu gerfydd ei chynffon i goelcerth Gei Ffowcs, sgrech fatha côr o genod di clwad eu bod nhw 'di ennall y wobor gynta yn Steddfod 'Rur, sgrechian fatha taflyd i fyny, sgrechian heb falio dim byd pwy oedd yn sbio arno, sgrechian run fatha tasa'r byd ar ben, chwerthin pisio sgrechian dros bob man heb falio dim byd pwy oedd yn gwrando. Dew, wnes i 'rioed glywad sgrechian fel'na o'r blaen. Mi faswn i'n licio medru sgrechian fel'na weithia fy hunan.

NAIN A TAID

Taswn i'n goro gadael Mami – ac mae hynny yn eitha' posib gan fod 'Nhad 'di rhedeg i ffwr' efo dynas siop *pizzas* a Mami 'di dechra' yfad a hel dynion i'r tŷ – baswn i'n mynd at Nain i fyw.

Nain ydi'r ddynas ora' yn y byd ac mae hi'n gadal imi 'neud popath na chawn i 'neud gin Mami.

"Mam?"

"Ia."

"Ga i fynd allan i chwara' efo'r hogia?"

"Na chei."

"Mam, ga i frechdan baramenyn?"

"Na chei."

"Mam, ga i shgwennu Nofal Fowr Gymrâg?"

"Na chei."

"Mam, ga i...?"

"Na chei! 'Rhen ddrychfil bach, chei di ddim mynd o gwmpas i gadw reiat 'radag yma o'r dydd. Lle buoch chi ddoe'n gneud dryga a gyrru pobol o'u coua?"

Dyna Mam i chi. Ond mae Nain yn hollol wahanol. Mae hi'n dew a'i gwallt yn wyn a'i hwynab annwyl yn rhycha' i gyd a'i dilo'n llawn cricymala', ac mae hi'n fyddar post ac yn ddall fatha gwadd, ac mae hi'n smygu pib ac yn drewi fatha gafr.

"Nain?"

"..."

"Nain!"

"..."

"NAIN!"

"Ia 'nghyw i?"

"Ga i fynd allan i chwara'?"

"Cei 'nghyw i.

"Nain, ga i smygu *pot*?"

"Cei 'nghyw i."

"Nain, ga i chwara' efo 'mhidlen?"

"Cei 'nghyw i."

"Nain, ga i dynnu llunia o Nia Cwt Gwydda heb ei nicars?"

"Cei 'nghyw i."

"Nain, ga i werthu 'nhin ar sgwâr C'narffyn?"

"Cei 'nghyw i."

"Nain, ga i shgwennu Nofol Fawr Gymrâg?"

"Cei 'nghyw i."

"Nain, ga i docyn o faramenyn?"

"Cei 'nghyw i."

Yr unig broblam ydi bod Taid yn byw hefo Nain. Fel hyn bydd Taid yn deud:

"Wyt ti isio b'echdan gin Taid heddiw?"

Mi fydda i isio un bob amsar gan fod pawb arall yn anghofio rhoid bwyd imi.

"Dyma chdi. Ond well i chdi gymryd diferyn o de mewn sosar i olchi'r b'echdan lawr gynta'."

Wedyn mi fydd o'n tywallt ei de'n ffwndrus o'i gwpan i'r sosar ac yna'n chwthu arno fo 'cofn bod o'n rhy boeth imi. Ond yn y cyfamser bydda i di cipio'r brechdan ac wedi rhedeg i ffwr' dan weiddi –

"Sticiwch eich sosar fyny eich tin chi!"

O byddaf, mi fydda i'n cael lot o hwyl efo'r hen bobol.

DEWYTH SETH

Mae pawb ym mhentra Pisda yn nabod Dewyth Seth ond 'toes neb yn licio siarad efo fo. Tybad pam? Dwi'n rhy fach a rhy ifinc i ddallt, wrth gwrs, waeth mai 'mond hogyn bach bach mewn trowsus cwta ydw i.

"Paid byth â mynd ar gyfyl Dewyth Seth, ti'n gwrando?"

"Pam, Mam? Pam na cha i fynd ar gyfyl Dewyth Seth?

"Gofyn i dy Nain, hi fagodd o."

"Nain pam na cha i fynd ar gyfyl Dewyth Seth?"

"Na, chei di ddim mynd ar gyfyl Dewyth Seth."

"Ond pam, Nain?"

"Chei dim ddim mynd ar gyfyl Dewyth Seth."

"Ia, ond pam Nain?"

"Chei di ddim mynd ar gyfyl Dew..."

"O caewch eich pen stiwpid bitsh."

"Chei di ddim mynd ar gyfyl..."

Wel dwi'n mynd ar ei gyfyl o beth bynnag. A dyma fi'n cnocio wrth ei ddrws o.

"Bore da, 'machgen i, a phwy wyt ti?"

"Fi di Bobi Harri, dwi'n shgwennu Nofwl Fawr Gwmrâg ac yn fardd ac yn chwilio am Dewyth Seth."

"Fi di Dewyth Seth."

"Ond ti'n gwisgo cyrlars yn dy wallt a cholur ar dy wynab a ffrog las ysgafn gin Laura Ashley a phersawr gin Estée Lauder a sgidia' sodla uchal coch gin A G Meek (braidd yn hen) a chlustdlysau diamante."

"Ydw, ond sbia, mae gin i goesa' blewog a dwi'm 'di eillio ers dau ddiwarnod."

"Felly chdi di Dewyth Seth?"

"Y feri un, y 'Meri' un yn ôl rhai, ha ha! Tyd i mewn."

"Ond mae Mam a 'Nhad (sy 'di rhedag i ffwr' efo dynas *pizzas* bellach) a Nain a phawb ym mhentra Pisda a thre C'narffyn yn deud na cha i ddim dŵad ar dy gyfyl di Dewyth Seth."

"O paid â gwrando arnyn nhw, gwehilion hiliol a homoffobig ydyn nhw, 'machgen i. Tyd mewn ac mi gawn ni banad a *martini* hefo'n gilydd.

"Grêt Dewyth Seth!"

"Meri i chdi."

A dyna lle bues i drw'r pnawn a rhan o'r hwyr yn hapus braf yn dewis lliwiau farnais ewinedd efo Meri ac yn gwylio'r teledu – nes i ni'n gweld ein hunain ar *Crimewatch* ac ar hynny torrodd yr heddlu drw'r drws.

Cymerwyd Meri i ffwr' i garchar a welishi mohono fo byth wedyn, a bues i dan driniath Seiciatrydd Catholig o Gaerdydd am y deng mlynadd nesa'.

Y SGŴL

Mae Jones y Sgŵl yn ddyn mawr cas efo blew fel weiars am aeliau ac yn ei glustia' fo ac yn ei drwyn o ond heb nemor ddim blew ar ei ben o, ond mae gynno fo drawswch megis môr-farch o dan ei drwyn. [Os ydw i'n shgwennu Cymraeg rhy anodd i chi mi ddeuda i hwnna eto fel hyn: mae gynno fo fwstas fatha walrws o dan ei drwyn o. Dallt rŵan? OK gawn ni fynd ymlaen efo'r stori?] Ac mae o o hyd yn ein dwrdio ni'r hogia am rwbath neu'i gilydd ohydacohyd. Ac mae o'n chwannog i ffrewyllu rhannau isaf ôl ein cyrff [hynny ydi, chwipio'n tinau] efo chansan. 'Toes dim rhaid i ni neud dryga mawr, wnaiff unrhyw esgus y tro. Ew, anodd 'di bod yn hogyn bach, tydi'r genod byth yn cael chwip din.

Wel pan glwodd y Sgŵl am yr helynt efo'r cwmpawd a'r sbeic a Nia Cwt Gwydda a Sincin Lôn Pricia dyma fi a Wil Ifas Jac a Twm Siôn Now yn cael gwŷs bora wedyn i fynd i weld y Sgŵl yn ei stafall o.

"Dyma ni amdani go-iawn y tro hwn hogia," meddwn i wrth i ni sefall yn coridôr y tu allan i stafall y Sgŵl fatha llofruddion yn America ar *Death Row* yn aros eu tro am y Gadair Drydan.

"Hitia befo," medda Twm Siôn Now a oedd yn werinwr

rhonc a deimlai fod yn ddyletswydd arno i ddeud petha fel'na bob hyn a hyn.

"Hitia befo, shmitia befo, dwi'm isio chwip din," medda Wil Ifan Jac gydag eneiniad, "nid y ni nâth o. Sincin Lôn Pricia a Nia Cwt Gwydda nâth o."

"Ia, 'nenwedig Nia Cwt Gwydda."

"Ia, Nia sbeiciodd o, y hi sbeiciodd o!" gweiddodd Wil Ifas Jac wedi'i feddiannu gan bwl o *Un Nos Ola Leuad.*

Ar hynny agorodd drws stafall y Sgŵl a dyna lle roedd o'n sefall yn gwgu ar ein gwendid dros ei drawswch fôr-farchaidd.

"A! hogia, dewch i mewn," medda fo. Roedd o'n cario'i gansan yn barod.

"Rydw i'n mynd i gloi'r drws ar ein holau," meddai mewn ffordd braidd yn od. "William, Thomas a Robert," meddai gan fynd i eistedd y tu ôl i'w ddesg. "Mor braf eich gweld chwi eto, y tri mwscatîr, fel petai, ho ho!"

Chwarddodd ond 'toedd run ohonon ni'n dallt y jôc.

"Ia, y tri mwscatîr. Dew, mae hi'n boeth yntydi hi? Yr haul yn llifo drw'r ffenast. Gwell i mi dynnu'r llenni."

Wrth iddo droi'i gefn dyma ni'n sbio ar ein gilydd, oherwydd 'toedd hi ddim yn boeth a 'toedd dim haul yn dŵad drw ffenast.

"Wel dyna ni, dyna welliant. Ond mae'n dal i fod yn boeth, yntydi? Wel, rŵan. Mae'n hen bryd i mi gael sgwrs efo chi fel dynion – oherwydd rydych chi bron â bod yn ddynion nawr yntydach?"

"Yndan," meddan ni'n tri jyst er mwyn cytuno efo fo.

"Wrth gwrs eich bod. Ac mae'n hen bryd i ni sôn am

bethau pwysig, pethau o ddirfawr bwys, pethau sensitif a thyner, fel y blodau a'r gwenyn a'r adar mân. Dyna chwi i'r dim, yr adar a'r gwenyn. Rŵan, yn y gwanwyn, fel arfer, ond weithiau yn yr haf hefyd, yn wir, yn yr haf yn aml iawn ar dywydd poeth fel heddiw, mae'r adar a'r gwenyn – hynny yw, y gwenyn, bsss bsss, a'r adar, twît twît, yn y tywydd poeth... yn tynnu amdanyn nhw. Hogia, peidiwch â bod ofn, dwi'n mynd i dynnu amdana i achos mae hi mor boeth. Gwnewch chwithau'r un fath, os gwelwch yn dda, peidiwch â bod ofn. Mae noethni yn naturiol.

Dyma fi'n sbio ar Wil a Wil yn sbio arna i a finna'n sbio ar Twm a Wil a Twm a Wil yn sbio arna i. Y peth nesa roedd y Sgŵl yn borcyn. Ac roedd gynno fo fola mawr pinc a blew gwyn dros ei gorff i gyd, hyd yn oed ar ei sgwydda a'i gefn o.

"Dyna ni, hogia, tynnwch amdanoch. A chan ei bod mor boeth gadewch i ni ddawnsio rownd y stafall fatha tylwyth teg, ia? Beth amdani? Dewch hogia, dewch i ddawnsio hefo fi."

A dyna fo'n dechrau dawnsio a chwifio'i freichia yn 'rawyr.

"Peidiwch â bod ofn. Wna i ddim rhoi cansan i chwi heddiw – cewch chwi roi cansan i mi am newid. Beth am i chdi ddechra', Wiliam? Yli, dyma'r gansan, dyro eitha chwip i mi dros fy nhin i. Dyna ni! Ow! Ac eto, ac eto! Ow! Caletach y tro hwn, plîs. Ia, dyna ni. Cofiwch hogia, peidiwch â deud wrth neb arall ein bod ni'n chwara tylwyth teg – ein cyfrinach ni ydi hon, cofiwch. Dy dro di rŵan, Bobi Harri. O! Ia, chwipia fi, chwipia fi!"

Rhois i eitha chwipiad iddo fo hefyd am yr holl droeon roedd 'rhen fastad tew di rhoid cansan i mi am y nesa' peth i ddim. Ond yn wahanol i fi roedd o wrth ei fodd.

"Sbiwch, hogia, sbiwch ar fy hudlath i!"

PORTH UFFAR

'Tydwi'm yn mynd ar gyfyl 'rysgol byth eto. 'Sna'm tegwch i ga'l yno. Dwi'n mynd i guddiad dan bwr' neu dan gwely stafall fi neu yn lle chwech pry cops ar waelod 'rar hydynoed, ac aros gartra i sghwennu'r Nwfal Fawr Kymraek. 'Sna'm pwynt mynd i 'rysgol. 'Na gyd dwi'n ei ga'l drw'r dydd ydi clatsys, clatsys, clatsys. Mi geshi gansan gin Sgŵl am fod yn hwyr 'to. Ond Nia Cwt Gwydda oedd 'di gneud i mi fod yn hwyr ond chafodd hi ddim cansan. Tynnodd Price Geography 'nghlust i achos oedd o wedi 'ngweld i yn tynnu 'nhafod allan ar Siân Rhwng-y-ddwybont – ond hi oedd 'di tynnu ei thafod arna i gynta', ond welodd Price mohoni yn gneud. Ceshi rwlar dros 'migyrna fi gin Miss Lloyd Miwsig achos nâth hi sbio arna i'n tynnu plethyn Rhian Twnt-i'r-mynydd, ond welodd hi mo Rhian yn cicio 'nghrimoga cyn 'ny naddo? A phan ofynishi i Betsan Tynddoman beth oedd ystyr 'cwnilingws', gair oedd hi di deud wrtho i eiliad ynghynt, sut oeddwn i i wbod bod Davies Seians 'di dŵad i sefall y tu ôl i mi y munud hwnnw a bod y gair yn air drwg? Ceshi slipar am hynna. Ond chafodd Betsan ddim. A phan geshi 'nal am smocio yn y lle chwech 'toedd Merryweather Saesneg ddim yn y 'nghredu i fod Lowri Alltygoedwig 'di gwerthu'r sigarenna i mi. A ches i beltan dros 'moch chwith gin Humphreys Gwaith Coed am sbio allan drw ffenast o hyd. Ond y merchaid yn chwara hoci oedd yn tynnu stumia arna i ohydacohyd. Ond mi geshi chwip tin go-iawn ddiwadd 'rwsnos, sicsofddabest yn wir, gin Sgŵl pan geshi 'nal efo 'mhen lan sgert Menna Penychain – ond oeddwn i'n smocio canbis ar y pryd a Menna oedd wedi gwerthu'r smôc i mi a hi oedd wedi gofyn i mi sbio lan sgert hi. Ond chafodd hi ddim chwip tin!

'Toes dim gwahaniaeth be mae merchaid yn ei 'neud, tydyn nhw byth yn ca'l clatsys, na tynnu clust na slipar na rwlar dros migyrna na chansan na chwip tin am mai merchaid ydyn nhw! Maen nhw'n ca'l sefall mewn cornal neu leins neu ditensiwn weithiau – os ydyn nhw'n cael eu dal, ond fel arfar 'tydyn nhw ddim yn cael eu dal, waeth mai hen betha' cyfrwys ydi merchaid. Y fi sy'n cal ei ddal ohydacohyd a'r merchaid yn cal getawê ohydacohyd.

'Tydwi'm yn licio 'rysgol beth bynnag.

DENGID I LUNDAN

Ew, lle peryg 'di Llundan. 'Rargol 'tydi hogyn bach fatha fi ddim yn sâff yno. Mae'r strydoedd mawr yn llond o ddynion budr a drwg. 'Ddylis i ddim y byddwn i'n dŵad 'ma o gwbl. Ond didodd Wili Bili Balog, hogyn mawr sy'n byw rownd cornal, "Tyd efo fi i Lundan". "Mae gen ti wynab," meddwn i. "Tyd," medda Wili Bili. "O'r gora' 'ta," meddwn i. "Dwidi dŵad i ben 'nhennyn," medda Wili. "Pam?"" " 'Nhad yn hambygio ohydacohyd." "Yli, Wili hitia befo," meddwn i. A fel'na buon ni'n parablu ar hyd y daith ar y trên 'roll ffor' i Badington Stesiwn. Ysu, od 'di Wili Bili, 'di colli'i farblis i gyd mae o, di goro byw efo tad od. Efengýl. Camu'n larts 'nithon ni'n dau i berfeddion dinas Llundan fawr bell. Ew, lle ofnadw sydd 'no lle mae pobol yn dwyn pres a phlant bach. A dyna ni'n dau, yr ynfyd yn arwain y diniwed. "Waeth i ni sbio yn y siopa ddim," meddwn inna wrth Wili Bili. Fedar Wili Bili siarad chydig o Sisnag, ond fedra i ddim, dim ond petha' fatha 'getawê', *ante-room, bottle-fruit, give up, marble cake, chewing gum,searchlights, post-mortem, horticultural,* 'coibois' ac ambell air bach fel'na. Teimlwn fatha Mwnci Pen Pric beth bynnag 'di un o rheini, ond mae rhaid sôn am un mewn pob ymgais i thgwennu'r Nouvelle Vower Cambraig mewn tafodiaith. Buon ni'n chwerthin am ben dynion meddw a hen wragedd yn cerad gan lusgo bagia ar eu hola. A dyna lle buon ni am ddiwarnod a noson yn crwydrad o gwmpas yn sbio'n syn efo lligid mawr ar bawb a phopath ac yn byta dadaneisneis a tjips – dwidi gwirioni efo sdtjips Llundan. [Rydych chi wedi sillafu'r gair ddwy ffordd mewn un frawddeg. Beth am ddefnyddio'r gair Saesneg wedi'i italeiddio, *chips*? Iawn, ond mae un o'n beirdd mwyaf yn defnyddio'r sillafiad 'tjips', ond mae'n swnio'n debycach i 'sdtjips' i mi. Wel, beth am 'sglodion tatws'? Braidd yn hir. Beth am 'sglods'? Rhy eisteddfodol. Dim ond mater o arfer yw e, oes rhaid inni dderbyn pob gair Saesneg? Nac oes, ond nofel dafodieithol yw hon, felly wfft i reolau a gramadeg a chywirdeb a phethau felly. Beth sy'n bwysig yw bod yn slic, yn rhwydd, 'naturiol'. Fel *Coc Oen Bach* 'nillodd Gwobr Goffrau Daniel Owen llynadd. Rhaid i bopeth fod yn hawdd a simpil. Gan nad oes 'j' yn y Gymraeg, yn ôl Syr Shohn Morris-Shones, beth am 'tships'?] Ond bora wedyn 'toedd gynnon ni ddim pres ar ôl. "Wili Bili," meddwn i wrtho fo, "be nawn ni am bres rŵan?" "Ew, be nawn ni yn wir, dwch?," medda fo gan gwpanu'i ben o yn 'i ddilo. "Paid ti â dechra arni," meddwn inna'n flin, "diawl o help wyt ti yn ein hargyfwng presennol. Meddylia am rwbath neno'r tad, ti 'di'r hyna dwidi blino." "Taw am bump eiliad os gelli di," medda fo'n siarp felna. "Ceisio meddwl am rwbath ydw i." Ar ôl iddo synfyfyrio fel'na am ryw awr neu ddwy dyma fo'n cal brênwêf. "Be sy Wili Bili Balog?" gofynnish i. "Mae ginon ni dri dewis." "Be di rheini Wili Bili?" "Cei di fynd at y Slafesion Rarmi, ond fasat ti ddim yn licio hynna, nafsat?" "Nafswn." "Neu, gallwn ni fynd adra, ond 'tydyn ni ddim yn barod 'to, nacdan?" "Nacdan." "Wel 'runig ddewis arall ydi i ni fynd i fyny i'r Picilili a gwerthu'n tina." "Fatha rentbois ti'n feddwl?" "Ws gws. Dau hogyn ifinc del fatha ni, 'dan ni'n sicr o 'neud lot lot o bres yn y ddinas ddihenydd ma." "Iawn, Wili Bili," meddwn i, "ond Wili?" "Ia?" "Ar ôl i ni 'neud ffortiwn gawn ni fynd adra 'to?" "Cawn." "A Wili Bili?" "Ia?" "Gawn ni roi'r gora' i'r ffycin tafodiaith is-normal 'ma a dechra' siarad fel oedolion sy'n medru darllen Cymraeg?" "Wrth gwrs. A dweud y gwir, roeddwn innau'n dechrau syrffedu ar y peth a dw i'n siŵr bod ein darllenwyr – a chymryd bod 'na un neu ddau – wedi blino ceisio gwneud pen a chynffon o'r peth. Roedd hi'n dechrau crafu ar fy nerfau."

THGWENNU PÔËTRI

Dwi'n Fardd, dwidi thgwennu cerddis. Pan dyfa i fyny dwi'n mynd i fod yn fardd mawr mawr mawr ac ennall y Gadair a'r

Goron dairgwaith acos dwi'n mynd i yfed lot o gwrw fatha 'Nhad a Dylan Tomos. Thgwennishi'r gerdd hon yn 'recsarseis bwc achos dwidi rhoi'r gora i'r Nofal Fawr Gymraeg. Mae cerddis yn haws thgwennu, beth bynnag. Mor hawdd â thgwiennu tafodiaith – o na, does dim byd mor hawdd â hynny, nac oes? Nac oes, dyna'r ffor i gael getawê yn llenyddiaeth Kymraek. Teitl f'awdl newydd ydi 'Y Llyffant'. Dyma hi:

Y Llyffant

(ynganer y gair 'crôc' yn debyg i sŵn llyffant)

Crôc
Crôc
Crôc crôc
Crôc crôc
Crôc crôc crôc
Crôc
Crôc crôc
Crôc crôc crôc

Crôc
Crôc
Crôc crôc
Crôc crôc
Crôc crôc crôc
Crôc
Crôc crôc
Crôc crôc crôc

(Mi geshi fwy o draffarth efo'r pennall ola' 'ma.)

Crôc
Crôc
Crôc crôc
Crôc crôc
Crôc rôc crôc crôc
Crôc
Crôc crôc
Crôc crôc crôc crôc

Mae gin i syniad ar gyfer pennall arall, ond camp yr artist yn ôl rhyw ddyn doeth – dwi'n rhy ifinc i gofio ei enw fo – yw gwbod pryd i stopio, pryd i roi taw arni.

Mr Yoshida yn cael lle i eistedd ar y trên

DIHUNASAI GWRAIG TACEO YOSHIDA am ugain munud i bedwar y bore gan godi i baratoi brecwast o lysiau a reis. Gwnâi hyn bob dydd o'r wythnos yn ddirwgnach. Dyn cymen, destlus oedd Mr Yoshida. Daeth o'r stafell ymolchi a'i wyneb llyfn yn sgleinio, newydd ei eillio a'i sgwrio, yn sawru o sebon. Ychydig o waith siafio oedd ganddo ond roedd e'n gorfod tocio blew ei drwyn a'i glustiau bob bore.

Cyfarchodd ei wraig yn ffurfiol, bron, cyn eistedd i f'yta gyda hi. Roedden nhw'n henffasiwn a glynent wrth y ffordd draddodiadol o fyw, er bod eu cartref yn foethus o fodern a thechnolegol gyfleus. Credai Mrs Yoshida mai ei dyletswydd hi oedd gwneud bwyd maethlon i'w gŵr i'w ddanfon ar ei ffordd i'w waith yn y ddinas.

Erstalwm, yn y boreau fel hyn, byddent yn dadlau cyn i Mr Yoshida adael y tŷ. Yr un ddadl bob tro gyda mân amrywiadau; pam nad oedden nhw wedi symud i Tokyo? Oherwydd nad oedd Mr Yoshida ddim yn dymuno byw yn y ddinas – ond roedd byw yn Mito yn golygu tair awr a hanner o daith i'r ddinas yn y bore a thair awr a hanner yn ôl bob nos, pam oedden nhw'n dal i fyw ym Mito? Oherwydd bod mam a thad Mr Yoshida wedi cael eu claddu yno a'i ddyletswydd ef oedd tendio'u beddau i ddiolch iddyn nhw am addysg. Ond, hen ddadl oedd honno, ac yn y diwedd 'doedden nhw byth wedi symud i'r ddinas wedi'r cyfan. Ond, yn ddiweddar bu Mrs Yoshida yn annog ei gŵr i roi'r gorau i'w waith, roedd e'n chwe deg a phump ac yn haeddu gorffwys a hamdden. Roedd y rhan fwyaf o bobl Siapan yn ymddeol yn drigain oed. Ond mae Mr Yoshida yn mwynhau'i waith a dyw e ddim yn barod i ymddeol eto, dyw e ddim yn teimlo'n hen o gwbl. Dyfalbarhad yw ei arwyddair personol. Dyw'r gair blinder ddim yn bodoli yn ei eirfa. Dyw'r ddadl byth yn cael ei thorri – dim mwy na'r hen gwestiwn ynglŷn â symud tŷ – ac mae Mrs Yoshida yn ildio i'w gŵr. Mae'n mwynhau'i dosbarthiadau icebana, a buasai'n gorfod rhoi'r gorau i'r rheini petasai'i gŵr gartref drwy'r dydd.

Ar ôl iddo wisgo'i siwt lwyd terylene a'i dei sidan (pysgod mewn dau liw yn nofio mewn rhesi trefnus – glas melyn, glas melyn ar gefndir glas tywyll) mae'n ffarwelio â'i wraig am y dydd gyda chyfarchiad ffurfiol traddodiadol (hollol groes i'w ddillad gorllewinol), dim cusan. Yna gedy'r tŷ yn Mito yn brydlon am bum munud i bump. Mae'n cerdded yn gyflym, ac yn yr orsaf yn Mito mae'n prynu'r papurau ac yn aros am y trên. Gŵyr yn union ble i sefyll a phan ddaw'r trên bydd y drysau yn ei wynebu.

Mae'r trên boreol hwn yn dawel, fel arfer, a chymer Mr Yoshida ei hoff le ac ymlacio i ddarllen ei bapurau, ei briff-ces ar ei arffed. Dyma un o'i hoff adegau yn ystod ei ddiwrnod. Am y tro cyntaf daw ato'i hun yn iawn, ac am yr awr nesaf, dyw e ddim yn gorfod ei 'ddal' ei hunan (rhag mynd i gysgu, rhag mynd yn rhy araf i ddal y trên) dim ond gadael i'r trên ei gario a mwynhau'r papur a dod i nabod y byd o'r newydd. Darllen yn ofalus ac yn drylwyr gan ymgolli yn y geiriau, yn y print mân. Fel hyn y llwydda i gau allan y trên, ei gyd-deithwyr a'r byd mawr swnllyd a phrysur. Mae'r dyn ar y chwith iddo yn pendwmpian, a'i ben yn pwyso ar ysgwydd Mr Yoshida. Ar y dde mae'r fenyw yn drewi. Ond prin bod Mr Yoshida yn ymwybodol ohonyn nhw.

Wrth stop-a-mynd sawl gwaith ar y ffordd mae'r trên yn codi pobl ac yn dechrau llenwi. Ar ôl awr o'r daith mae Mr Yoshida yn gorffen ei bapurau ac erbyn hynny mae'r cerbyd yn eithaf llawn.

Mae'n cau'i lygaid ac yn gadael i'w feddwl a'i ysbryd hedfan. Lled freuddwydia am ei orffennol, ei blentyndod tlawd, anawsterau ei rieni, ei frodyr a'i chwiorydd. Mor wahanol yw ei fywyd nawr ac yntau'n ddyn busnes llwyddiannus – cymharol lwyddiannus, o gofio'i wreiddiau gwledig, gwerinol; pysgotwyr oedd ei dad a'i frodyr. Cawsai'i fam blentyn ar ôl plentyn nes iddi farw yn ei deugeiniau, yn hen cyn ei hamser ar ôl bywyd caled. Cofia am ymdrechion ei rieni i roi addysg iddo – ei fraint ef, ar draul ei frodyr hŷn, druan ohonyn nhw. Roedden nhw wedi gorfod gweithio er mwyn iddo ef gael mynd i goleg. Roedd e'n eu caru nhw ac yn dal i fod yn ddiolchgar iddyn nhw. Oni bai am aberth ei deulu ni ddaethai dim ohono. A nawr mae'n dad ac yn dad-cu. Meddylia am ei ŵyr a'i wyres a daw gwên i'w wyneb heb yn wybod iddo. Sylwa ambell un o'i gyd-deithwyr ar y wên hon ar wyneb yr hen ŵr a'i lygaid ynghau. Druan ohono. Ond ni ddywed neb ddim.

Egyr ei lygaid yn sydyn. Ar ôl deng mlynedd ar hugain o'r daith feunyddiol hon gŵyr Mr Yoshida pryd i godi a dechrau gwthio'i ffordd tuag at y drysau. Mae'r cerbyd yn llawn hyd yr ymylon erbyn hyn, mae'r awyr yn glòs. Daw'r trên i stop a chaiff Mr Yoshida ei chwydu allan gyda llif o bobl eraill, llawer ohonyn nhw'n ddynion mewn siwtiau llwyd gorllewinol tebyg i Mr Yoshida. Mae 'na gannoedd ohonyn nhw, miloedd efallai. Mae'n amhosibl eu cyfrif nhw, mor debyg i'w gilydd ydyn nhw, ac maen nhw'n un afon o gyrff dynol yn symud.

Rhaid i Mr Yoshida newid yn yr orsaf hon a chael trên arall i orffen ei daith i'r ddinas, i'r swyddfa lle y mae wedi bod yn gweithio'n ffyddlon er pan oedd e'n bymtheg ar hugain oed. Mae'r trên hwn bob amser yn llawn dop hyd yn oed cyn iddo gyrraedd yr orsaf lle mae Mr Yoshida yn ei ddal e bob dydd. Mewn deng mlynedd ar hugain o'r daith hon nid yw Mr Yoshida wedi cael lle i eistedd erioed ar y trên hwn. Ond, heddiw, pan egyr y drysau, yno yn syth o'i flaen, mae'n gweld un lle gwag. Â Mr Yoshida yn glou at y sedd gan ei chipio fel gwobr. Buddugoliaeth! Lle bach cyfforddus i eistedd am yr awr olaf o'r ffordd i mewn i'r ddinas yn lle sefyll rhwng pobl yn gafael yn un o'r strapiau 'na sy'n hongian o nenfwd y trên.

Ar unwaith fe'i hamgylchynir gan haid o bobl. Pobl o bob tu iddo yn pendwmpian-deithio, pobl eraill yn sefyll wedi'u gwasgu at ei gilydd. Mae Mr Yoshida yn tynnu'i draed i mewn o dano, gorau gallai, rhag ofn i'r saf-deithwyr sathru arnynt. Fel y gŵyr ef o brofiad mae'n dipyn o gamp sefyll yn syth wrth i'r trên siglo ac mae ef ei hun wedi sefyll ar draed pobl, yn anfwriadol, sawl gwaith mewn deng mlynedd ar hugain o deithio ar y trên hwn. Wrth sefyll, wrth geisio dal eich hunan i fyny, rhaid canolbwyntio yr holl ffordd a gafael yn dynn yn y strap. Ond heddiw gall ymlacio yn braf yn y sedd a meddwl am ei blant a phlant bach ei blant. Gwêl ei hunan yn taflu pêl at ei wyres fach. Mae'n licio chwarae gyda'i wyrion, mae'n dal i fod yn ddigon heini fel y gall ymuno yn rhai o'u gemau. Bu farw rhieni ei fam a'i dad cyn iddyn nhw gael eu geni, wydden nhw ddim beth oedd tad-cu na mam-gu. Treulia Mr Yoshida bob penwythnos gyda'r plant bach.

Fel arfer ni chymerai Mr Yoshida sylw o aroglau'r bobl o'i gwmpas ar y trên; ar ôl teithio fel'na bob dydd am fwy na hanner ei fywyd daethai'n rhy gyfarwydd â'r chwys-dan-geseiliau, y rhechfeydd distaw, drewdod genau, aroglau newydd-ddeffro. Roedd sawr teithwyr y bore yn anwyntadwy iddo yn union fel roedd yr holl hysbysebion ac arwyddion yn rhes ar res ohonyn nhw y tu fewn i'r trên a'r tu allan ym mhobman yn lliwgar o anweladwy a chyfarwydd iddo.

Ond yna, yn sydyn, fe ddaethai gwynt i'w ffroenau ar y chwith iddo gan ei feddiannu a mynd ag ef yn syth yn ôl i'w blentyndod – gwynt pysgod gwlyb newydd eu codi o'r môr, gwynt hallt a dyfrllyd yr heli'i hun. Troes Mr Yoshida ei ben ac yno'n eistedd wrth ei ochr yr oedd ei dad. Ei dad fel y cofiai ef pan oedd Mr Yoshida yn ddim o beth, nid ei dad a fu farw ar ôl oes o galedi yn ei chwedegau cynnar ond tad bore oes. Fel plentyn roedd y ffigwr hwn wedi edrych yn hen iddo, ond nawr gwêl Mr Yoshida ef o'i drigain a phump o flynyddoedd oed a gweld bod ei dad yn ddyn ifanc yn ei dridegau ond bod y tywydd, haul a glaw ac awelon y môr wedi melynu'i groen a'i galedu fel lledr. Ond nawr roedd Mr Yoshida yn hŷn na'r tad hwn, er yn ifancach yr olwg, yn wir meddyliai Mr Yoshida am ei dad fel plentyn o hyd.

Ni syflodd Mr Yoshida na chynhyrfu wrth weld ei dad fel hyn yn ei garpiau o ddillad gwerinol, ei ddwylo'n wlyb a chroen pysgodyn ar ei fysedd, er y gwyddai fod yr hen foi yn ei fedd ers llawer dydd. Ni chawsai'i dad fyw i weld plant Mr Yoshida yn cael eu geni.

Sylwodd fod ei dad yn edrych dros ei ysgwydd ar rywbeth neu rywun y tu ôl iddo. Trodd Mr Yoshida i ddilyn ei drem. Ac yna ar yr ochr arall iddo, wrth gwrs, roedd ei fam. Unwaith eto nid y fenyw a fu farw mor ifanc ar ôl brwydr galed feunyddiol yn erbyn tlodi a welai ond mam annwyl ei blentyndod. Daeth teimlad mawr dros galon Mr Yoshida eto. Mor ifanc oedd hi, iau na'i ferch ei hun, ac eto'n fam iddo ef ac i dri o frodyr hŷn. Merch oedd hi ar drothwy ei hugeiniau. Cwyd Mr Yoshida ei law i gyffwrdd â'i grudd hi. A phan wêl gefn ei law ei hun yn agos at ei hwyneb hi sylwa ar y smotiau melyn, y crychau , y gwythiennau cordeddog, y bysedd cnotiog, yr ewinedd caled ond glân. Llaw hen ddyn oedd hi yn erbyn petal o foch merch ifanc. Ac eto i gyd, ei fam oedd hon, doedd neb anwylach ganddo yn y byd, ac efe oedd ei phlentyn.

Yn sydyn stopiodd y trên. Cwyd y byd ar ei draed a dechrau ymwthio trwy ddrysau'r cerbyd. Diflanasai'r drychiolaethau. Am ychydig o funudau yr unig berson ar ôl ar y trên cyn i deithwyr newydd ddod i'w lenwi eto, oedd Mr Yoshida. Roedd e'n cael trafferth i godi.

Prologomena i Ddadansoddiad o Ddarn o Sacriaeg Canol

gan Y Diweddar Athro Emeritws Ceirwy Léwŷs
MA, DLitt (honoris causa), FBA

TARARÁ, TARARÁ-TARARÁ RÁ RÁ... Dŵm-dŵm-dŵm! [sic] Tymtyrýmtym... Tymtyrýmtym... týmpa, týmpa...týmtýmtým... [sic]

1. *Tarará* – Egyr y darn mewn dull fformiwlaig ond annodweddiadol, serch hynny. Y mae lle i gredu bod y cyfarwydd neu'r bardd-offeiriad yn defnyddio enw duw neu dduwdod mewn ffordd ffurfiol a chyfrachiol, fel yr awgrymir gan yr acen ar y diwedd. Ar y llaw arall, gellid dadlau, er na ellir profi, taw angel yn hytrach na duw, neu ryw fath o fân-dduwdod yw'r gwrthrych a gyferchir. Mewn lle arall,[1] dadleuais fod y ffurf hon yn hyblyg ac amrywiol. Ceir enghreifftiau eraill ohoni[2] sydd yn ildio darlleniadau dichonadwy amgen. Yn betrus, felly, hoffwn fentro cynnig dehongliad newydd:

Hybarch a chlodwiw (Ra), mirain dy/eich d/talcen a'th/ch b/pryd synhwyrddoeth a thrugarog.

Sylwer bod yr unigol a'r lluosog yn ddealledig ac ymhlyg yn *gyda'i gilydd* mewn Sacriaeg Canol.

2. *Tarará-tarará [...]* – Mae'r newid cywair chwyrn ac annisgwyl hwn wedi peri cryn benbleth i sawl ysgolhaig.[3] Awgrymodd fy

nghydweithiwr, Dr Andrews, mai dylanwad tafodieithoedd deheuol Lacsaria sy'n gyfrifol am y ffurf anghyffredin hon, ond dadleuodd yr Athro Peni-Pni (o'r Ganolfan Uwchefrydiau Sacriaeg a Lacsariaeg, Prifysgol Tiraspol Transdnestr) yn ddarbwyllog iawn, nad oedd hynny yn debygol o gwbl o gofio perthynas y ddwy wlad â Mocataria ar y pryd,[4] cyn iddo newid ei farn yn llwyr.[5] Ar ôl cymharu'r cymal hwn â'r darnau o destunau cyffelyb sydd wedi dod lawr atom o'r un oes (o fewn canrif neu ddwy), ac ar ôl ymgynghori â'r siaradwyr Sacriaeg olaf,[6] deuthum i'r casgliad fod o leiaf dau ddarlleniad yn bosibl; y naill yn geidwadol a gochelgar a'r llall yn debygol o ysgogi dadleuon ymysg Sacriaegyddion brwd.

Dyma'r darlleniad cyntaf:

Wrth addoli nawndduw caredig y (Ra) y caredicaf loywarglwydd yr ydym yn cynaeafu (bendithion di-rif).

A dyma'r lladmeriaeth arall:

Cariadus euraid-bryd (Ra) ildiwch [yn] llawen [dy/eich] pen-ôl/cynffon inni gael ei sugno/llyfu.

Gwelir yn syth y problemau a gwyd yn yr ail ddehongliad ond cymharer hwn â chyfieithiad ardderchog yr Athro Peni-Pni o arysgrifiad B203b o Lacsaria Isaf. Buasai'r fersiwn hwn yn ategu damcaniaethau gwreiddiol Dr Andrews ac ailasesiad yr Athro.

3. *rá rá... […]* – Y broblem i'w datrys yma, afraid dweud, yw ai 'Tarará-tarará rá [rá]' sy'n gywir, neu 'Tarará-tarará rá rá', neu ynteu Tarará-tarará [rá rá]'? Buasai unrhyw drefniad

oddigerth yr olaf yn gweddnewid ein dyfaliadau blaenorol yn llwyr ac yn gofyn am ailosod y cyfan fel y ceid o leiaf chwe fersiwn posibl. Wedi dweud hynny, yng ngoleuni darganfyddiadau astudiaeth ardderchog Dr Saltza-Seltza[7], credaf y gellid hyderu mai 'Tarará-tarará rá rá' sydd yn iawn. Ar ben hynny, fel y dangosodd Cše-Cši Caraltza-Jones[8] (o Lacsaria yn wreiddiol ond Sacriaes o dras sydd wedi priodi Cymro a ffynhonnell oludog o wybodaeth ynglŷn â'r siaradwyr Sacriaeg olaf[9]) y mae'r drefn hon yn briod-ddull eithaf cyfarwydd yn y gweddïau traddodiadol a gedwid ar lafar tan yn gymharol ddiweddar. Er i mi gael dadleuon[10] bywiog a difyr gyda rhai o'm cydweithwyr ynghylch derbyn y trydydd posibilrwydd fel y nodwyd uchod yr wyf am fentro'r dehongliad canlynol:

(R)á-(R)á

4. *Dŵm [-...]* – Wiw imi ychwanegu at sylwadau treiddgar yr Athro Peni-Pni ar ddefnydd helaeth Dgn-Gdnd (yr unig fardd Sacriaeg Canol Diweddar y mae'i enw yn hysbys inni) o ffurf awdurdodol o'r lluosog. Yn ôl y cyd-destun gellid rhoi:

A fo Ra tra arglwyddiaethus ti/chi Ra a fo Ra os gweli/gwelwch yn dda.

Ond nid wyf yn hapus gyda'r darlleniad hwn o gwbl. Awgrymodd Cše-Cši Caraltza-Jones y dylid cysylltu 'Dŵm' a '-' a 'dŵm' fel hyn – 'Dŵm-dŵm'. Derbyniais yr ystyriaeth yn llawen gan ei bod yn rhoi inni linell sy'n haws o lawer i'w deall, ac sy'n gydnaws â'm darlleniad uchod o 'Tarará-tarará':

Ac o gael dy/eich anwesu cawn ymuno â (Ra) yr un loyw a disgleirwynebog ar silffoedd (y mynyddoedd).

Ond ddaw hi ddim fel yna gwaetha'r modd. Ymddengys 'Dŵm-dŵm-dŵm' mewn sawl testun[11] gan gynnwys o leiaf dau o'r rhai a briodolir i Dgn-Gdnd. Unwaith eto, elwais ar sgyrsiau gwerthfawr gyda'r siaradwyr Sacriaeg olaf[12] a Mrs Caraltza-Jones, sydd yn gymdoges imi, sy'n beth cyfleus iawn. Felly:

5. *Dŵm-dŵm-dŵm 1 [...]* – gan gymryd yr ystyriaethau uchod, yr unig adferiad posibl o'r testun fyddai rhywbeth tebyg i:

O na (Ra) chei di/chewch chi ddim [...] oni bai dy fod/eich bod ti/chi'n talu am y fraint.

Neu:

Mi wnawn i unrhyw beth a ddymunet/ech ond i ti/chi dalu yn hael dy/eich f/mawrhydi.

Nodyn: Ond, sylwer, ar o leiaf dri o'r pum fersiwn o'r arysgrifiad sydd wedi goroesi, gan gynnwys yr hynaf o ddigon, ceir y symbol '!'. Yn ôl Dr Andrews[13] dim ond gwall yw hwn sy'n tystiolaethu i'r dirywiad enbyd yn yr iaith Sacriaeg rhwng y cyfnod cynnar a'r cyfnod canol. Ysgrifennais at yr Athro Peni-Pni ynglŷn â'r pwynt hynod ddiddorol hwn ac er nad oedd yn gallu taflu llawer o oleuni ar y mater[14] teimlwn ei fod yn cytuno â mi fod yr arwydd yn ystyrlon iawn. Tynnodd Mrs Caraltza-Jones fy sylw at ddefnydd eang o'r peth yn y testunau olaf gan y siaradwyr brodorol.[15] Y canlyniad yw nad oedd dewis ond ailasesu'r darlleniad er mwyn cynnwys y newidiadau hyn:

O (Ra [neu, o bosib, Dŵm] cofleidia/wch fi ar bob cyfri ond rhaid iti/i chi dalu drwy dy/eich d/trwyn am fy ffafr/ gwasanaeth [neu 'fy mendith' fe ddichon].

Er bod cywair y testun wedi newid yn annisgwyl eto, fel ei bod yn rhaid cyfaddef y posibilrwydd fod darn sylweddol ar goll, fe welir bod y darlun yn dod yn fwy clir, bob yn dipyn.

6. *Tymtyrýmtym... [...]* – Darn o gyfeiriadaeth lenyddol astrus a diarffordd iawn yw hwn, mae'n debyg. Yr oedd y Sacriaid, fel y gwyddys, mor hoff o frolio'u dysg a chreu clytweithiau o'u traddodiadau fel y dangoswyd gan Dr Andrews yn ei astudiaeth ardderchog o'r Arwrgerdd golledig 'Y Szalazala'. [16] Canu'i ffanffer ei hun y mae'r bardd yn y fan hon. Credaf taw cyfeiriad penodol at 'Y Szalazala' yw hwn lle mae'r arwr Crn yn gweld yr arwres Wn-bar am y tro cyntaf, ac er ei fod yn cwympo mewn cariad â hi'n syth y mae'n ei hanwybyddu hi yn llwyr. Dyma a geir yn adferiad Dr Andrews o'r rhan hon o'r testun hwnnw:

Dacw Wn-bar, y ferch harddaf yn y byd i gyd, gogoniant a godidowgrwydd y duwiau wedi ymgnawdoli. Mi wnaf [h.y. Ni wnaf unrhyw arwydd i ddangos fy serch tuag ati].

Dyma ddehongliad i'n darn cyfatebol ninnau:

Dacw Tym [o bosib Rým] y llanc/macwy/duw ifanc harddaf yn y byd i gyd, gogoniant a godidowgrwydd y duwiau wedi ymgnawdoli. Ni wnaf [h.y. Ni wnaf unrhyw arwydd i ddangos fy serch tuag ato].

7. *Tymtyrýmtym... týmpa,* – Ond mor ddeheuig, mor gelfydd

y newidir y cywair yn hollol, yn ebrwydd eto gan y bardd-offeiriad/cyfarwydd. Ceir dadansoddiad ynghyd â thrafodaeth ddefnyddiol ar y ffurfiau hyn gan yr ysgolhaig gwych hwnnw y diweddar Héla-Péla Sgelmonn. [17] Mae fy nyled i'w sylwadau yn anfesuradwy, fel sydd ond yn rhy amlwg yn hwn o ddarlleniad:

Marw nychu, nychu-a-marw/Ydwyf/Fy nghalon a hyllt/F'ysbryd a sawdd/o Arglwydd (Rým)/Paid/Peidiwch â'm goglais fel yna/Da chdi/chwi.

8. *tympa... [...]* – Cafodd fy nghydweithwyr [18] ym maes Sacriaeg Canol a minnau gryn drafferth gyda'r darn hwn, rhaid cyfaddef. Ar wahân i'r ffaith resynus fod yna wall gramadegol anffodus, y mae natur y cynnwys yn aflednais, a dweud y lleiaf. Ond dyna ni, dyna naws a hinsawdd yr oes orwrywgydiol honno. Dyma'r cyfieithiad: 'Sdim ots gyda fi/Tym/Hwpa fe mewn!

9. *týmpa... [...]* –Yr un naws sydd i'r darn hwn eto.

10. *týmtýmtým* – Darn o anlladrwydd anghyfieithiadwy.

[Nodyn golygyddol. Bu farw'r Athro Emeritws Ceirwy Léwŷs cyn iddo orffen rhoi trefn ar ei droednodiadau.]

1

2

3

4

5

6

7

8

9

10

11

12

13

14

15

16

17

18

Rhywogaethau Prin

CLYWSAI DR VAVASOR JONES taw'r lle bwyta gorau yn Efrog Newydd, yn wir y lle gorau a'r drutaf i fwyta ynddo yn yr Unol Daleithiau i gyd, oedd bwyty yn dwyn yr enw cyffrous *Endangered*. Ei gydweithiwr, Dr Daniel Llywelyn, a'i wraig Jinx, a oedd yn Americanes, a oedd wedi sôn am y lle wrtho dro yn ôl, cyn iddo feddwl am ddod i America.

"Mae'n cle offnadw o dwud, dwud iawn, yntydi Dan?" meddai Jinx yn ei Chymraeg Brooklyn.

"Ydi," cydsyniodd ei gŵr yn ufudd, "llawer rhy ddrud."

"Ond dan ni wedi bod yno loto weithiau," meddai Jinx, "dim ond am wywbeth ysgafn, wff gws. Mae pawb yn mynd yno, pawb sy'n wywun. Sêr y ffilmiau, miliynwyr a clywodraethwyr a bwenhinoedd a bweninesau a thywysogesau a chyndywysogesau..."

Ymffrostio roedd Jinx, yn dangos ei hun. Ar hyd ei oes cawsai Vavasor ei amgylchynu gan bobl oedd yn meddwl eu hunain. Pobl Bwysig. Ond yn awr, ar ddiwedd ei oes fer, daethai i'r casgliad nad oedd neb yn bwysig mewn gwirionedd. Roedd pawb a phopeth yn feidrol ac yn hepgoradwy – os oedd y gair yn bod – doedd neb yn anhepgor, beth bynnag. Dywedasai Jinx taw prawf bod rhywun 'wedi cyrraedd' oedd bod gyrwyr tacsis Efrog Newydd wedi clywed yr enw. Sinatra, Madonna, Elvis, Ella

– enwau roedd pob gyrrwr tacsi yn gyfarwydd â nhw oedd rhain: roedden nhw'n anfarwol. Ond doedd hynny ddim yn wir. Dim ond prawf o'r hyn oedd yn ffasiynol yn America oedd yr enwau ar wefusau gyrwyr y tacsis melyn. Roedd mam Vavasor, hedd i'w llwch, yn well prawf o wir enwogrwydd gan fod ei hymwybyddiaeth o bethau'r byd mawr mor gyfyng. Felly pan glywodd ei fam yn sôn am Tom Hanks gwyddai for Forrest Gump wedi cyrraedd pob twll a chornel o'r byd a'i fod, mwy na thebyg, wedi cael dylanwad byd-eang.

Aethai Vavasor i mewn i sawl tacsi a gofyn *"Have you heard of Professor Elis Richards* (ei bennaeth adran)*? Dr Daniel Llywelyn? Jinx Gruskin-Llywelyn?"* Ond doedd yr un gyrrwr tacsi yn yr Afal Mawr erioed wedi clywed am ei gydweithwyr pwysig.

Roedd Dr Vavasor Jones wedi sylweddoli rhywbeth arall yn America; nid yn unig nad oedd ei gydweithwyr, ei gymdogion ac adolygwyr ei lyfrau yn ddibwys ac yn hepgoradwy ond roedd hyd yn oed Bob Dylan, Dylan Thomas, Madonna a hyd yn oed Elvis yn mynd i gael eu gollwng yn angof yn y pen draw. Fyddai neb i'w cofio nhw oherwydd roedd dynoliaeth yn siŵr o wneud ei diwedd yn y diwedd. Os na ddeuai rhyfel i orffen y cyfan yr oedd yr awyr a'r dŵr yn cael eu dyfal wenwyno ac athroniaeth Forrest Gump ym meddyliau pawb.

Roedd bywyd Dr Vavasor Jones yn mynd i ddod i ben ymhell cyn hynny. Yn wir, daethai i Efrog Newydd yn unswydd i orffen ei ddyddiau ac i gael y pryd o fwyd drutaf yn y byd cyn iddo drengi.

Cawsai'i ddedfrydu i farwolaeth gan ei gorff ei hun –

gwyddai mai dyna dynged pawb (nad yw'n cael ei ladd gan ryfel neu lofrudd neu ddamwain); yn hwyr neu'n hwyrach mae'r corff yn rhoi'r gorau i weithio. Eithr yn ei achos ef ni ddaeth yn hwyrach ond yn gynharach na'r disgwyl.

"Gallwch chi fynd fel'na," meddai'r meddyg gan glecian ei fysedd, mewn ffordd sbeitlyd, yn nhyb Vavasor.

Cawsai fflach o weledigaeth. Daethai i'r casgliad nad oedd ystyr i ddim. Am ddeng mlynedd bu'n trafod geiriau a'r Gair ac ystyr geiriau ac ystyr ystyr ac yn gwrando ar fyfyrwyr yn trafod (neu'n ceisio trafod) ystyr ystyr ac yn marcio'u traethodau o eiriau ar ystyr ystyr ac yn darllen eu hatebion i gwestiynau arholiad a osodwyd ganddo ef yn gofyn beth oedd ystyr ystyr ac yn darllen llyfrau pobl eraill ar ystyr ystyr ac yn sgrifennu'i lyfrau'i hun ar ystyr ystyr. Nawr roedd e'n deall bod y cyfan wedi bod yn ddiystyr.

Ond cyn iddo fynd ffordd yr holl fyd roedd e'n mynd i wneud un peth afradlon. Yn *Endangered* eisteddai Dr Vavasor Jones ar ei ben ei hun ar gadair foethus wrth ford foethus. O'i gwmpas chwyrlïai'r actorion a'r bobl enwog y soniodd Jinx amdanynt. Y dannedd a'r sbectols haul a'r diemwntiau a'r camerâu yn fflachio.

Ar hynny daeth y gweinydd ato gyda'r fwydlen. Roedd e'r un ffunud ag Elvis (Cyfieithiad o'u sgwrs sy'n dilyn.)

"Hoffech chi edrych ar y fwydlen, syr?" meddai gan gyrlio'i wefus rhwng gwên ac ysgyrnygiad maleisus.

Edrychodd Dr Jones ar y rhestr gan ddewis y pethau olaf roedd e'n bwriadu eu bwyta; hwn oedd y swper olaf. (Rhyw fath o gyfieithiad sy'n dilyn.)

Entrées

Prif Seigiau

Golwyth Sebra
Panda au gratin
Tafod Rheinoseros
Paté de Gorila
Morlo'r Caribî roulade

Seigiau arbennig y Chef

Presidio Manzanita Salad
Brechdan Pygmy Possum
Omled o wyau Sofliar Himalaya

Edrychodd Dr Jones i fyny a gweld bod Elvis yn sefyll wrth ei benelin yn ddisgwylgar, a'i bensil yn hofran uwchben pad o bapur, yn barod i gymryd yr archeb.

"Cymeraf Forlo'r Caribî gyda *Presidio Manzanita Salad*."

Edrychodd Elvis arno'n syn.

"Ydych chi'n siŵr, syr?"

"Ydw, oes 'na broblem?"

"Does dim Morlo'r Caribî ar ôl. Aeth i ddifodiant neithiwr."

"Beth am y Sebra?"

"Mae 'da ni rai ar ôl, syr."

"Fe gymera i hwnnw, 'te."

"Gyda'r *Presidio Manzanita Salad,* syr?"

"Ie, unrhyw broblem?"

"Fe gostith chwe deg mil o ddoleri."

Meddyliodd Vavasor am hyn am eiliad, ond doedd arian

na dyledion yn golygu dim iddo.

"Mae 'na broblem arall, syr. Dim ond un ddeilen o *Presidio Manzanita Salad* sydd ar ôl… yn y byd."

"Bydd un yn ddigon i mi," meddai Vavasor. Yna plygodd Elvis a sibrwd yng nghlust yr ysgolhaig. "Mae *Presidio Manzanita Salad* yn ffiaidd o wenwynig, syr."

"Perffaith," atebodd Dr Jones.

"Wrth gwrs, bydd syr yn fodlon talu am ei bryd yn gyntaf."

"Wrth gwrs, dim problem, *American Express?*"

Pan ddaeth y bwyd mwynhaodd Vavasor bob tamaid, nes iddo ddod at y salad, y saig olaf. Daeth Elvis ato gyda'r ddeilen ar blât. Meddyliodd Dr Jones taw Angel Angau oedd Elvis. Ond yna, fe gywirodd ei hun. Hen syniad ofergoelus oedd hwnnw, llên gwerin. Ac wrth gwrs, mewn chwedlau gwerin mae'r arwr bach tlawd bob amser yn llwyddo i dwyllo angau yn y diwedd.

Cymerodd y doctor y plât ac er ei fod yn Efrog Newydd dywedodd "Diolch" yn Gymraeg wrth y gweinydd. Ac ar hynny popiodd y ddeilen i'w geg.

Sionyn a'r Ddraig

NID OEDD SIONYN PENFELYN yn arglwydd ar unrhyw gantref nac yn facwy. Yn ieuenctid y dydd yr oedd ef yn eistedd ar fryncyn – ac nid yw o bwys ble yn y byd y mae'r stori yn digwydd – gyda Nan yn disgwyl breuddwydion.

"Mae'r ddraig yn byw yn y mynyddoedd 'na."

"Ym mhle, Nan?"

"Weli di'r hen goeden ddu ar y bryn 'cw?"

"Gwelaf."

"Wel y tu hwnt i honno, weli di'r mynyddoedd uchel yn y pellter?"

"Gwnaf."

"Wel y tu hwnt i'r rheini, ar ben clogwyn sy'n achosi madrondod i'r sawl a edrycho lan ato, fan 'na mae hi'n byw. Ac mae hi'n gwarchod."

"Gwarchod beth?"

"Rwyt ti'n gofyn gormod o bethau!"

"O, dwedwch, Nan, be'?"

"Gwarchod ei chywion mae hi."

"Baswn i'n licio cael cyw draig."

"Be' faset ti'n ei wneud ag e'r twpsyn?"

"Ei gadw fe wrth gwrs, a'i fwytho fe."

"I-ych-a-fi, hen bethau cramennog, seimllyd yw dreigiau,

yn enwedig y rhai gwyrdd sydd mor gyffredin yn y wlad hon – hyd yn oed y rhai ifainc."

'Roedd hi'n heulog a Nan yn golchi dillad yn yr afon a Sionyn yn gorwedd ar ei gefn ar y borfa hir, wedi tynnu'i grys i dorheulo.

"Ydyn nhw i gyd yn wyrdd?" gofynnodd Sionyn ar ôl saib hir o dawelwch hafaidd.

"Y rhan fwyaf ohonynt. Ond ceir rhai coch hefyd, ond mae'r rheini'n brinnach o lawer."

"Baswn i'n licio gweld cyw draig goch. Maen nhw'n siŵr o fod yn bert iawn."

"Llai seimllyd na'r rhai gwyrdd, mae'n wir," meddai Nan.

Daeth ieir-bach-yr-haf, dwy ohonynt, i chwarae lle roedd Sionyn yn gorwedd, a'i lygaid wedi'u cau rhag yr haul. Daeth y ddwy i orwedd ar ei fola lle tyfai ychydig o flew aur. Ni wnaeth Sionyn sylw ohonynt. Ar hynny edrychodd Nan arno.

" 'Machgen i," meddai â gwên, "rwyt ti'n rhy bert ac yn rhy brydferth ar gyfer un o ferched yr hen dwll o bentre 'ma. 'Taset ti'n gallu dal cyw coch y ddraig yn wir..."

"Ia? Be'?" Cododd Sionyn ar ei eistedd ac aeth yr ieir-bach-yr-haf ar wib.

"Baset ti'n iawn wedyn, am byth."

"Sut?"

"Sut, sut, sut! Oherwydd y sawl a gipio'r cyw draig goch a gaiff ennill merch y brenin, wrth gwrs, a basai hynny yn well nag ennill y loteri."

"Ydi hi'n bert?"

"Fel pob tywysoges. Smo ti wedi gweld ei lluniau yn y papurau ac ar y teledu? Be' sy'n bod arnat ti?"

"Rwy'n mynd!"

"I ble?"

"At y clogwyn i nôl y cyw coch."

"Aros, smo fi wedi adrodd y darn am yr helyntion eto."

"Wel, dere 'mlaen, pa helyntion?"

"O, mae 'na helyntion o dy flaen di, 'machgen i, cyn dy fod ti'n cyrraedd clogwyn y ddraig."

"Beth ydyn nhw?"

"Tair Helynt y Deyrnas. Y tu ôl i'r goeden ddu mae bwthyn Gweddw'r Torrwr Coed. 'Does yr un dyn holliach wedi llwyddo i fynd heibio i'w thŷ hi'n fyw ers chwater canrif."

"Rhaid ei bod hi'n hen."

"Mae hi'n ddigon cyflym serch hynny. Dyna un Helynt. Ac os llwyddi di i fynd heibio i'r Weddw fe ddoi di at y Llys Glas lle mae Arglwyddes y Llyn yn byw ar ynys fechan ynghanol y dŵr – does yr un dyn holliach wedi llwyddo i fynd drwy'r dŵr dros yr ynys ac i'r tir sych ar yr ochr arall yn fyw ers deng mlynedd ar hugain."

"Rhaid bod yr Arglwyddes hithau'n hen."

"Mae hi'n gallu nofio fel pysgodyn o hyd, serch hynny. Dyna'r ail Helynt. Ac os llwyddi di i wneud hynny fe ddoi di at gastell yr Iarll Du. Maen nhw'n dweud ei fod e'n bwyta dynion ifainc ar y Gwyliau. Ac fel y gelli di ddychmygu, does yr un dyn holliach wedi dod ma's o'i gastell yn fyw ers hanner can mlynedd."

"Rhaid ei fod yntau yn hen iawn."

"Does neb tebyg iddo am ymaflyd codwm, serch hynny. Dyna'r drydedd Helynt. Ac os – ac mae'n 'os' mawr – os llwyddi di i ddod drwy'r Helyntion hyn i gyd fe weli di'r clogwyn o dy flaen di ac ar ben y clogwyn, yn gwarchod, fe weli di'r fam ddraig. Cipia di'r cyw draig goch ac fe gei di'r dywysoges yn wraig a chei di dy dywysogaeth fechan dy hun – efallai."

"Rydw i'n mynd, Nan. Yn iach!"

Ac i ffwrdd ag ef. Cawsai'i grys yn ôl yn lân ar ôl iddo sychu yn yr haul tra oedd Nan yn adrodd yr Helyntion wrtho.

Aeth Sionyn dros gaeau a thros nentydd, dros fynyddoedd a thrwy berthi – gan rwygo'i ddillad bob hyn a hyn. Roedd e wedi cerdded pum milltir ar hugain – heb weld yr un bws – pan welodd Sionyn forwyn hardd mewn gwisg wen yn dawnsio mewn cae.

"I ble rwyt ti'n myned, Sionyn Penfelyn?"

"I gipio cyw coch y ddraig ac ennill merch y brenin."

"Mae hynna'n orchwyl peryglus dros ben. Os ca' i gusan gen ti fe gei di rywbeth a fyddai o fantais iti ar dy hynt."

"Pa fath o fantais?"

"Wel, dwyt ti byth yn gwybod ymlaen llaw beth a ddaw i dy ran di yn ystod d'anturiaethau. Mae gen i fodrwy sy'n gallu troi dyn yn anweledig."

Yn awr gallai Sionyn weld y fantais o gael y fodrwy ledrithiol, ac roedd y ferch ifanc yn ei gwisg denau, wen, yn ddeniadol iawn, mewn ffordd.

"Dere 'ma 'te i gael dy gusan," meddai.

Aeth y ferch ato'n eiddgar a thaflu'i breichiau am ei wddf a phlannu'i gwefusau ar ei wefusau yntau. Ac felly y buont am dipyn. Teimlai Sionyn ddwylo yn symud o'i wddf i lawr ei gorff i mewn i'r rhwygiadau yn ei ddillad. Roedd ei dwylo hi'n oer ar ei groen a oedd wedi mynd yn chwyslyd ar ôl cymaint o gerdded yn y gwres. Neidiodd Sionyn gam yn ôl gan ei ryddhau'i hunan o afael y ferch.

"Iawn, fe gest ti dy gusan – ga' i'r fodrwy nawr?"

"Cei," meddai'r ferch, "ond am dy fod ti wedi cwtogi ar fy mhleser mor swta fydd y lledrith ddim ond yn gweithio ddwywaith. Dyma hi, hwde, ac yn iach iti."

A chyda hynny i ffwrdd â hi i'r coed. Aeth Sionyn yn ei flaen. Teimlai'n drist am ei fod ar ei ben ei hun eto mor ddisymwth. Buasai wedi hoffi dod i nabod y ferch yn well. Ond aeth dros y caeau a thrwy nentydd, dros fynyddoedd a thrwy ragor o berthi a mwy o fynyddoedd a mwy o nentydd am bum milltir ar hugain ac am ddyddiau bwygilydd – heb weld yr un car – gan gysgu'r nos o dan y sêr.

O'r diwedd fe ddaeth at y goeden ddu. Ac fel yr oedd yn nesáu ati fe ymddangosodd y fenyw fwyaf o ran ei maint a welsai erioed. Roedd hi bron cyn daled â'r goeden, roedd hi'n dew hefyd, roedd ei chroen yn goch, ei llygaid yn ddu ac roedd ei gwallt hir, wed'i blethu, yn hongian dros ei hysgwyddau ac yn cyrraedd y llawr fel sarff. Ymwthiai ei dannedd melyn o'i cheg fel ysgithredd. Roedd ei dwyfron yn llydan. Gwenai wrth weld Sionyn yn ei garpiau.

"Dere i mewn i'r tŷ, lanc penfelyn," meddai. "Dydw i ddim wedi gweld dyn ers misoedd, ac mae eisiau torri coed ar gyfer y tân, waeth nid wyf wedi newid i wres canolog eto."

"Ond mae hi'n haf," meddai Sionyn.

"Erbyn y gaeaf roeddwn i'n feddwl, wrth gwrs," meddai'r gawres.

Gwyddai Sionyn bellach taw hon oedd Gweddw'r Torrwr Coed.

"Rwyt ti'n edrych yn flinedig, 'machgen i. Dere i mewn i'r tŷ ac fe gei di fwyd a llyn."

Yn awr, roedd Sionyn yn flinedig iawn a doedd e ddim wedi cael bwyd sylweddol ers iddo adael Nan. Os oedd i gipio'r cyw draig byddai hynny yn gofyn am nerth, meddyliodd. Ar wahân i hynny roedd chwant bwyd arno.

"Mi ddo' i i'r tŷ," meddai, "os ca' i bryd o fwyd a rhywbeth i'w yfed yn gyntaf. Mi wna' i dorri'r coed i chi wedyn."

Aeth Sionyn gyda'r Weddw i mewn i'w thŷ. Eisteddodd wrth y bwrdd ac ymhen ychydig daeth y Weddw ato gyda gwydryn o sudd oren a *pizza* wedi'i thwymo yn y meicrodon.

"Dim ond *pizza*!" meddai Sionyn.

"Be' wyt ti'n ddisgwyl? Rydw i'n weddw, cofia."

Ond roedd ei newyn yn drech nag ef, felly yn lle dadlau bwytaodd Sionyn y *pizza* yn awchus a llyncodd y sudd oren fel ceffyl.

"Diolch," meddai, "mi a' i i dorri'r coed nawr."

"Beth yw'r brys? Aros i ymdrochi – mae'r dŵr yn dwym ac rwyt ti wedi blino."

Ac roedd yr hyn a ddywedai'r Weddw yn wir; o'r bron y gallai Sionyn gadw ei amrannau ar agor.

"Dere, fe ddangosa i'r stafell ymolchi iti."

Cydiodd y Weddw yn ei law a dechrau'i lusgo ar ei hôl. Ond cyn iddynt gyrraedd pen y grisiau hyd yn oed, dyma'r Weddw yn troi ato –

"Gad imi dy helpu di i dynnu'r hen grys brwnt 'na."

A thynasai'r Weddw ei grys oddi amdano cyn iddo sylweddoli beth oedd yn digwydd.

"Hei!" meddai Sionyn, gan ddeffro a dechrau hel ei draed. Rhedodd i lawr y grisiau, ei bwrw hi am y drws a dechrau rhedeg fel y gwynt heb ei grys. Ond roedd y Weddw hithau'n gyflym a doedd dim llawer o bellter rhyngddynt. Aeth Sionyn heibio i dŷ'r Weddw ond nid ymhell, a dyma hi'n gafael ynddo ac yn ei gofleidio a'i wasgu rhwng ei dwyfron anferth nes o'r bron y gallai anadlu.

Ar hynny dyma Sionyn yn cofio am y fodrwy a chyda chryn ymdrech llwyddodd i gael ei ddwylo at ei gilydd fel y gallai rwbio'r fodrwy yn galed. A phan nad oedd Sionyn i'w weld ddim rhagor dyma'r Weddw yn gweiddi

"Ble rwyt ti? Ble rwyt ti f'anwylyd? Dere 'nôl, paid â'm gadael! Dere 'nôl ar unwaith y diawl!"

Ond erbyn hyn llwyddasai Sionyn i fynd ymhell o dŷ'r Weddw yn holliach, sef y dyn cyntaf i wneud hynny ers gwell na chwarter canrif.

Yn awr, roedd Sionyn yn falch o fod yn rhydd o grafangau'r Weddw drachwantus ac roedd e wedi cael rhywbeth i'w fwyta – dim ond *pizza*, mae'n wir, ond roedd hynny yn ddigon iddo gael ei nerth ato o'r newydd. Aeth yn ei flaen fel hyn yn siriol ddi-grys am filltiroedd gan fwynhau'r haul ar ei groen (roedd e'n weladwy eto erbyn hyn) ac yn aros bob hyn a hyn i fwyta aeron a mwyar. Aeth dros fynyddoedd a nentydd a chaeau a thrwy berthi a rwygodd ei lodrau melfaréd.

Wel, yn awr, roedd syched arno ac aros a wnaeth wrth afonig fechan i yfed. Roedd y llif yn fywiog a pharablus a disgleiriai'r haul ar y dŵr ac ynddo roedd miloedd ar filoedd o bysgod bychain. Tra oedd e'n torri'i syched ymddangosodd merch o rywle. Roedd ei gwasg yn fain a gwisgai ffrog felen.

"I ble rwyt ti'n myned, Sionyn Penfelyn?"

"I gipio cyw coch y ddraig ac ennill merch y brenin."

"Rwyt ti'n ddewr dros ben. Os ca' i gusan gen ti fe gei di dorch hud i'th alluogi di i hedfan a fydd yn fantais iti yn d'anturiaethau."

Nid oedd y forwyn yn ddiolwg; yn wir, roedd hi'n ddeniadol iawn yn ei ffordd.

"Dere 'ma 'te," meddai Sionyn, "i gael dy gusan."

Croesodd y forwyn yr afonig i ddod ato a thaflu ei breichiau amdano a phlannu ei gwefusau ar ei wefusau ef. Ac felly y buont am dipyn. Yna fe deimlai Sionyn ddwylo'r ferch yn symud i lawr ei gefn ac i mewn i gefn ei lodrau. Yn anffodus roedd ewinedd y ferch yn hir a chrafog.

"Aw!" meddai Sionyn pan aeth ewin i mewn i groen tyner ei ben-ôl. Neidiodd yn ôl gan ymryddhau o afael y ferch.

"Iawn. Rwyt ti wedi cael dy gusan, ble mae'r dorch?"

"Dyma hi, hwde. Ond cofia, am dy fod ti wedi bod mor gybyddlyd â'th ffafr wnaiff yr hud ddim ond gweithio ddwywaith."

Roedd Sionyn yn ddigalon pan aeth y forwyn i ffwrdd. Buasai wedi licio aros yn ei chwmni, doedd e ddim wedi cael siarad â neb ers dyddiau. Ond doedd dim byd amdani ond mynd ymlaen. Gwisgodd y dorch am ei wddf, a chyda hon yn ogystal â'r fodrwy fe deimlai yn fwy hyderus – wedi'r cyfan, prin iawn oedd ei ddillad erbyn hyn – dim ond ei lodrau carpiog cwta odd ganddo. Ond diolch i'r drefn roedd yr haul yn dal i fod yn boeth iawn ac felly nid oedd dillad mor bwysig â hynny. Aeth Sionyn drwy'r wlad am dridiau arall nes iddo gyrraedd llyn. A phan welodd y dŵr daeth ysfa drosto i gael nofio ynddo; doedd e ddim wedi ymdrochi yn nhŷ'r Weddw wedi'r cyfan ac roedd ei groen yn sych oherwydd yr haul. Heb oedi neidiodd i mewn i'r dŵr a dechrau nofio.

Yn ddisymwth cydiodd rhywbeth yn ei goesau a theimlai ei hunan yn cael ei lusgo drwy'r dŵr tua'r ynys a oedd i'w gweld yng nghanol y llyn. Aethpwyd ag ef, yn erbyn ei ewyllys, i'r traeth, a rhoddwyd ef ar ei gefn. Pan gliriodd y dŵr bawlyd o'i lygaid fe welai wyneb esgyrnog yn edrych i lawr arno. O gwmpas yr wyneb roedd gwallt du yn hongian yn syth. Roedd croen yr wyneb yn wyn fel iâ a'r gwefusau tenau'n goch fel briw; roedd y llygaid yn ddu a'r aeliau uwchben yn fwaog a llym.

"Rwy wedi achub dy fywyd," meddai hi.

"Doeddwn i ddim mewn trafferthion," meddai Sionyn, ac yntau'n gwybod yn iawn ei fod mewn trafferth bellach, oblegid hon, heb amheuaeth, oedd Arglwyddes y Llyn.

"Chest ti ddim caniatâd i nofio yn fy llyn i, naddo?"

"Naddo."

"Yna roeddet ti mewn trafferth achos fel arfer baswn i wedi lladd unrhyw ddyn a feiddiai nofio yn fy llyn neu sglefrio arno heb fy nghaniatâd – yn wir, fydda i byth yn rhoi fy nghaniatâd. Ond rwyt ti'n nofiwr dawnus ac rwyt ti'n bert. Rydw i'n mynd i roi cusan bywyd iti."

Dechreuodd yr wyneb agosáu at wyneb Sionyn ond

symudodd cyn iddi gyffwrdd ag ef, ond cael a chael oedd hi.

"Ond dydw i ddim wedi llewygu, dw i ddim eisiau cusan bywyd!"

"Dere 'ma i gael cusan, beth bynnag."

Daeth yr Arglwyddes tuag ato'n gyflym eto – ond ddim yn ddigon cyflym. Neidiodd Sionyn i'r dŵr eto. Neidiodd yr Arglwyddes hithau i'r dŵr ar ei ôl. Doedd Sionyn ddim yn ddigon cyflym iddi'r tro hwn – oherwydd roedd hi wedi llwyddo i gael gafael yn ei lodrau'n hawdd.

Ar hynny, dyma Sionyn yn cofio am y dorch a thrwy oedi am eiliad yn lle nofio a rhwbio'r dorch troes o fod yn bysgodyn i fod yn aderyn.

"Dere 'nôl!" gwaeddodd yr Arglwyddes, "dere 'nôl i fyw yn fy nghastell ar f'ynys i – dere 'nôl y cythraul!"

Ond llwyddasai Sionyn i hedfan ymhell y tu hwnt i'r arglwyddes a'i hynys – ac efe oedd y dyn cyntaf i wneud hynny ers deng mlynedd ar hugain.

Roedd Sionyn wrth ei fodd yn hedfan ac roedd hi'n haws na cherdded ac yn gyflymach. Roedd y wlad oddi tano yn fechan – y tai a'r coed a'r gwartheg a'r defaid a'r ceffylau a'r heolydd fel teganau a'r ceir a'r bysiau a'r loriau a'r bobl fel chwain. Y tro hwn aeth y milltiroedd heibio ar amrantiad. Ond roedd hi'n boethach yn yr awyr a doedd e ddim yn gallu manteisio ar ffrwyth y perthi bob yn hyn a hyn. Felly, fe ddaeth i lawr i'r ddaear eto i chwilio am rywbeth i'w fwyta.

Ac fel yr oedd yn chwilio am aeron yn y gwrychoedd dyma facwy ifanc mewn gwisg borffor yn ymddangos.

"I ble rwyt ti'n myned, Sionyn Penfelyn?"

"I gipio cyw coch y ddraig ac i ennill merch y brenin."

"Merch y brenin?"

"Ie, y dywysoges."

"Pa dywysoges?" gofynnodd y macwy.

"Yr un sydd heb briodi, debygwn i."

"O, mi wela i. Wel, Sionyn, mae gen i wregys sydd yn galluogi'r sawl a'i gwisgo i fod yn gryf fel y gall drechu unrhyw nerth a chodi unrhyw bwysau. Buasai rhywbeth fel 'na'n fantais a chaffaeliad iti, yn base fe?"

"Base."

"Wel, fe gei di fe," meddai'r macwy, "os ca' i gusan gen ti."

"Iawn 'te," meddai Sionyn, "Dere 'ma felly i gael dy gusan."

Llamodd y macwy tuag ato a'i gofleidio a phlannu'i wefusau ar wefusau Sionyn. Ac felly y buont am dipyn. Ac ar hynny fe deimlai Sionyn ddwylo'r macwy yn llithro'n araf i lawr ei gorff. Ac am y tro cyntaf ers iddo adael yr Arglwyddes yn ddisymwth fe sylweddolodd ei fod wedi colli'i lodrau iddi a'i fod bellach yn gwbl noethlymun. Felly fe neidiodd yn ôl gan ymryddhau o ddwylo'r macwy.

"Dyna'r gusan – ga' i'r gwregys nawr, os gweli'n dda?"

"Cei," meddai'r macwy yn bwdlyd, "ond am dy fod ti wedi bod mor oeraidd dim ond dwywaith y bydd yr hud yn gweithio. Hwde, dyma fe."

Clymodd Sionyn y gwregys am ei wasg. Canodd y macwy yn iach ac i ffwrdd ag ef. Teimlai Sionyn yn brudd iawn ar ei ben ei hun unwaith eto heb gwmni'r llanc.

Erbyn hyn roedd y dirwedd wedi newid. Roedd y ddaear yn ddiffrwyth a chaled ac roedd creigiau o bobtu iddo. Bu'n rhaid iddo gerdded a dringo drwy'r ardal hon am ddyddiau a byw ar chwilod du a welai yn rhedeg yn nhyllau'r creigiau – er ei fod yn gigymwrthodwr ar egwyddor. Cawsai ambell i friw ac roedd ei gorff yn brifo a theimlai'n wan a llesg pan welodd y Castell Du. Aeth at y drws yn flinedig a churo arno. Agorwyd y drws gan ddyn mawr. Roedd ei wallt yn ddu a'i wyneb i gyd wedi'i orchuddio gan farf ddu. Ond disgleiriai'i lygaid cochion drwy'r blew i gyd. Roedd ei wisg i gyd yn ddu.

"O! F'anrheg gŵyl San Pancras!" meddai'r cawr pan welodd Sionyn yn gorwedd ar drothwy ei gastell. A chododd Sionyn – a oedd yn llipa – yn ei freichiau a'i ddwyn i grombil ei gastell tywyll.

"Nawr 'te," meddai'r cawr, "cei di orwedd ar y ford hon – gobeithio nad yw hi ddim yn rhy oer – ac fe a' i i nôl enaint ar gyfer dy friwiau."

Pan ddaeth y cawr yn ôl roedd Sionyn wedi dadebru rhywfaint a gwelai fod y cawr wedi tynnu'i ddillad du i gyd a'i fod yn gwisgo lliain bach du am ei ganol a dim byd arall. Roedd ei freichiau yn flewog, ei fola yn flewog, ei frest yn flewog ac roedd hyd yn oed ei ysgwyddau a'i gefn yn flewog. A sylweddolodd Sionyn – nad oedd yn fachgen twp nac araf ei feddwl – taw hwn oedd yr Iarll Du y soniasai Nan amdano.

Yn ddirybudd roedd e wedi dechrau rhwbio ysgwyddau Sionyn gyda rhyw eli. Ond roedd y teimlad yn gysurus.

"Mae dy wddf di fel alarch – gad imi rwbio dy wddf... dyna ni."

Ond roedd yr Iarll yn ceisio'i dagu. A dyma'r Iarll Du yn gafael am ei ganol ac yn ymaflyd codwn gyda fe. Daliai un o freichiau Sionyn y tu ôl i'w gefn, yna gafaelai yn ei goes, wedyn ei wthio ar y llawr ac yna ei godi gerfydd ei fraich a'i ogleisio drwy'r cyfan. Gogleisio nes bod Sionyn yn sâl. Goglais o dan ei geseiliau – goglais y tu ôl i'w glustiau, goglais ei gefn, a'i goesau, a'i ben-ôl a phob man a oedd yn ogleisiol.

"Paid! Paid!" erfyniai Sionyn yn fôr o chwerthin afreolus. Ac ar hynny sylweddolodd Sionyn fod yr Iarll wedi taflu'i liain i ffwrdd ac nad oedd dim byd rhyngddynt ond awyr bellach. Ar ben hynny roedd yr Iarll wedi agor ei geg yn fawr fel petai'n barod i fwyta Sionyn. Cofiodd Sionyn am y gwregys a'i rwbio. Yna cododd Sionyn y cawr ar ei ysgwyddau a'i gario ging-gong-gafr. Rhedodd drwy'r castell nes iddo ddod o hyd i ffenestr fawr a gwthio'r Iarll drwyddi.

Ar ôl iddo wledda ar fwyd y cawr a gadael y castell sylweddolodd Sionyn ei fod wedi curo Helyntion y Deyrnas i gyd ac nad oedd dim byd arall amdani bellach ond anelu am glogwyn y ddraig a chipio'r cyw coch, mynd â hwnnw at y brenin a phriodi'r dywysoges.

Roedd y borfa a'r wybren yn las ac roedd y tir o gwmpas yn lân a phrydferth a gwastad. Ond draw yn y pellter codai'r clogwyn a achosai'r madrondod wrth edrych lan at ei uchelfannau. Cerddodd Sionyn am oriau dros y gwastadeddau gwelltog nes iddo gyrraedd troed y clogwyn. Wedyn dechrau dringo a wnaeth a dringo a dringo gan aros i orffwys bob hyn a hyn yn yr ogofâu yn ystlys y clogwyn. Ac yn y man fe glywai'r ddraig yn rhuo. Esgynnodd ymhellach a gallai wynto'r mwg yn codi o'i ffroenau hi.

Ymhellach eto ac wrth iddo edrych lan gwelai'r fflamau'n saethu o'i cheg.

Roedd e wedi cyrraedd y nyth. Roedd y fam ddraig yn anferth, yn fwy na thri eliffant. Roedd ei chroen yn gramennog, fel y dywedasai Nan, ac yn diferu gan hylif seimllyd. O gwmpas ei thraed chwaraeai ei chywion: tri yn wyrdd tua maint ceffyl a'r un bach coch tua maint mochyn.

Y cywion a'i gwelodd yn gyntaf a dyma nhw'n rhedeg ato fel plant yn rhedeg at degan bach newydd. Yna sylwodd y fam, y ddraig ei hun, arno, ac roedd ei llygaid cochion yn llawn ffyrnigrwydd. Anadlai'n ddwfn i chwythu tân arno ond roedd Sionyn wedi rhwbio'r fodrwy mewn pryd i ddiflannu ac wedi rhedeg yn anweledig y tu ôl i'r fam ddraig – a hithau wedi llyncu'i fflamau yn ei syfrdandod. Rhwbiodd Sionyn y gwregys a gafael yn y cyw coch gerfydd ei gynffon. Rhwbiodd y dorch ac yna roedd e'n hedfan tua'r castell lle'r oedd y teulu brenhinol yn byw.

Ehedodd Sionyn i mewn drwy ffenestr yr ystafell lle roedd y brenin a'r frenhines yn eistedd ar yr orsedd yn chwarae gwyddbwyll neu ffristiol (doedd Sionyn ddim yn siŵr pa un oherwydd doedd e ddim yn gwybod y gwahaniaeth). Ond dyna i gyda a welodd y gŵr a'r wraig frenhinol oedd draig fach goch yn dod drwy'r ffenestr wysg ei chefn â'i hwyneb i waered.

"O, 'na bert!" meddai'r frenhines.

"Ond pe bai rhywun, rhyw arwr gwrol wedi dod â hi gallaswn fod wedi rhoi un o'm merched yn wraig iddo."

"Ond f'anwylyd," meddai'r frenhines, " 'does gennym ni'r un fer..." (estynnodd y brenin gic eithaf cas iddi ar ei chrimog).

Ar hynny dyma Sionyn yn taflu'r fodrwy ar y llawr ac yn

ymgnawdoli eto. A dyma fe'n gweiddi mewn syndod –

"Dim tywysoges? Ond beth am fy ngwobr am guro holl Helyntion y Deyrnas i ddod â'r cyw draig goch 'ma atoch chi?"

"O, edrych ar y bachgen 'na Tomos," meddai'r frenhines, "ma' fe'n borcyn!"

"Ydy, Mari, ond mae e'n dal y cyw draig gerfydd ei gynffon, felly mae gennym arwr i'w wobrwyo wedi'r cyfan. Hei! Weision. Cymerwch y ddraig fach 'ma i'r gawell aur a neilltuwyd ar ei chyfer ers llawer dydd."

Bu'n rhaid cael chwech o ddynion cryf iawn i fynd â'r cyw i ffwrdd.

"Diolch am hynny," meddai Sionyn, "ro'n i'n dechrau blino ar gydio yng nghynffon y ddraig fach 'na. Ond dw i'n hawlio fy ngwobr, sef un o'ch merched a darn o'r deyrnas."

"Dere 'ma, Anna!" meddai'r brenin, a daeth merch i ystafell yr orsedd ac roedd Sionyn yn ei hadnabod hi.

"Y ferch yn y wisg wen a roes y fodrwy i mi. Wel, os yw hi'n dywysoges, rydw i am ei phriodi hi."

"Rhag dy gywilydd di, Sionyn Penfelyn, yn sefyll o'm blaen i yn noethlymun fel 'na. Dw i wedi priodi Arglwydd Plasnewydd (ond dyw e ddim mor hardd â thi, Sionyn). Ga' i'r fodrwy yn ôl os gweli di'n dda?"

"Co hi ar y llawr," a phlygodd Sionyn i'w chodi.

"Sionyn!" sgrechiodd y dywysoges.

"Beth oedd y sgrech 'na?"

Daethai merch arall i ystafell yr orsedd ac roedd Sionyn yn adnabod hon eto.

"Y ferch yn y wisg felen a roes y dorch i mi. Fe brioda'i

hon felly, os yw hi'n dywysoges."

"Rwyt ti'n rhy falch o 'ngweld i – cuddia dy hunan! Ta beth rydw i wedi priodi Arglwydd y Rhâth (ond dyw e ddim mor brydferth â thi, Sionyn). Ga' i'r dorch yn ôl, os gweli di'n dda?"

"Mae hi'n hongian yma am fy ngwddf."

Aeth y dywysoges ato er mwyn datod y dorch a bu'n rhaid iddi fynd yn agos iawn ato er mwyn mysgu'r bachyn.

"Sionyn!" syrthiodd y dywysoges ar y llawr mewn llewyg.

"Beth oedd y sgrech na?"

Yn awr, roedd y ferch hon yn ddieithr i Sionyn. Roedd hi'n gwisgo porffor.

"Wel, os nad yw'r ferch hon wedi priodi, hon yw'r un i mi, oherwydd y hi yw'r brydferthaf o'r tair heb os nac oni bai."

"Wel, dw i'n dy licio di hefyd Sionyn, ac os yw Tada a Mama'n fodlon, ni wela i unrhyw rwystr rhag i ni fynd i'm stafell heb oedi."

"Cerwch chi'ch dau," meddai'r brenin, "a chaiff y gwron hwn dair o'm trefi (ond iddo addo mynd â chi i fyw ynddynt) ymhell i ffwrdd, fel gwobr a gwaddol."

A gafaelodd y ferch ym mraich Sionyn a'i dywys o ystafell yr orsedd drwy lawer o neuaddau i ystafell fawr a phopeth ynddi yn borffor gan gynnwys y gwely anferth. Ar ôl iddi gloi'r drws dywedodd y ferch –

"Gad i mi ddatod y gwregys 'na ac wedyn awn i orwedd ar y gwely gyda'n gilydd."

Ac wrth gwrs, y macwy porffor wedi'i wisgo fel merch oedd hwn. Yn wir, y mae pob merch a menyw yn y chwedl hon, gan gynnwys Nan a'r frenhines ei hun, yn llanciau ac yn ddynion wedi'u gwisgo fel menywod – wrth gwrs bod y 'menywod' a'r 'merched' hyn yn fechgyn ac yn ddynion, maen nhw'n adlewyrchiadau ar bersonoliaeth yr awdur fel y mae pob cymeriad mewn ffuglen yn y pen draw yn adlewyrchu'i awdur – ac mae'r awdur yn yr achos hwn yn wryw, ac fe wyddoch chi (ddarllenydd) hynny gan fod ei enw ynghlwm wrth y stori, wedi'i brintio'n amlwg ar draws y testun. (Fel arall y buasech chi'n gwybod os yw'r awdur yn wryw neu'n fenyw?)

A chysgodd y macwy – a oedd yn dywysog go-iawn – gyda Sionyn drwy'r mis a elwir Ionawr ac am y mis nesaf sef Chwefror a thrwy'r mis sy'n dilyn sef Mawrth, ac ar ôl Mawrth y flwyddyn honno daeth Ebrill a'i ddilynydd, fel arfer, yw Mai; daeth Mai i ben ac yna fe ddechreuodd Mehefin ac ar ôl i'r mis hwnnw gyrraedd ei derfyn cafwyd mis arall yn dwyn yr enw Gorffennaf, ac yn ôl traddodiad yr ynys hon daeth Awst nesaf gyda'i eisteddfod ac yna yn annisgwyl iawn cafwyd mis gyda'r teitl Medi a oedd yn rhagflaenydd Hydref a gafodd ei ganlyn, wedi iddo ddirwyn i ben, gan Dachwedd a barodd am fis cyn i Ragfyr ymddangos ac yna Ionawr eto, yr hyn a elwir yn y wlad hon yn flwyddyn gron a diwrnod. Mor hapus oedd Sionyn a'r tywysog y ddau gyda'i gilydd am sawl canrif.

Ac felly y terfyna'r chwedl hon.

Traed o Bridd
Cleilyd

Wel, dyma fi yn ôl yn uffern ers wythnos ac yn teimlo yr hoffwn chwythu Aber Dar i'r cymylau...

Neithiwr, er enghraifft, yn fy ysgol nos, mentrais ddywedyd na chawn ni na nofel na drama yng Nghymru am nad ydym yn meiddio byw.

"Beth ydach chi'n feddwl wrth fyw?" ebe hen ferch dduwiol wrthyf a llond ei llygad o lofruddiaeth...

Buasai'n dda gennyf fod filoedd o filltiroedd o'r lle yma.

—Kate Roberts mewn llythyr a anfonwyd o Aberdâr at Saunders Lewis, 18 Ionawr (1927).

Teitl gwreiddiol *Traed Mewn Cyffion* oedd "Suntur a Chlai".

ONI BAI AM Y GAWOD ysgaprwth o law a'i daliodd yng Nghaerdydd ni fuasai Miss Rhiannon Bevan wedi prynu cyfrol o storïau Cymraeg newydd. Ond aethai i gysgodi mewn siop lyfrau a digwydd gweld cyfrol a ddenodd ei llygaid – nid oherwydd ei chlawr (a oedd yn ddiolwg iawn), nid oherwydd ei bod wedi clywed sôn amdani, nid oherwydd ei theitl chwaith, eithr am ei bod hi'n meddwl ei bod yn adnabod enw'r awdures. Cododd y llyfr ac edrych arno a phenderfynu mai'r un fenyw oedd y Kate Roberts hon â'r un oedd yn arfer cynnal dosbarthiadau nos yn Aberdâr dro yn ôl. Sut allai ei hanghofio? Prynodd y llyfr a'i ddarllen ar y bws ar y ffordd tua thre ac yn araf dros sawl noson. Doedd hi ddim yn gyfarwydd â darllen gweithiau Cymraeg, wedi rhoi'r gorau iddi, wedi troi yn eu herbyn, yn wir, yn bennaf oherwydd y Miss Roberts hon.

Ac yna aeth cof Rhiannon Bevan at noson oer ym mis Ionawr 1927. Gwnaethai ymdrech i fynd i'r dosbarth nos. Cerddasai drwy'r eirlaw egr o Drecynon i ganol y pentre er mwyn clywed Miss Kate Roberts BA yn siarad am lenyddiaeth Gymraeg.

Bu tipyn o sôn amdani yn y cylch ers iddi ddod i ddysgu yn Ysgol Ramadeg y Merched. Roedd hi'n anghonfensiynol iawn, meddid; smygai sigarennau; yn anghyson, yn unig, y mynychai'r cwrdd; gwisgai yn wahanol i fenywod eraill – broitsys a hetiau braidd yn grand – ac wrth gwrs, roedd hi'n genedlaetholwraig a fynnai siarad Cymraeg bob amser. A doedd hi ddim yn ofni siarad yn blaen â'r dynion. Onid oedd hi wedi rhoi pryd o'i thafod gyddfol i bwyllgor y Cymmrodorion un noson? Wedi'u galw yn 'gul'. Bu'n brysur yn annerch cyfarfodydd ac yn siarad dros Blaid Cymru yn y fro. Oherwydd y pethau hyn a glywsai amdani roedd Miss Bevan yn edmygu'r fenyw o'r gogledd, hyd yn oed cyn iddi gwrdd â hi. Roedd gwraig mor egnïol yn ennyn parch a phan glywodd Miss Bevan am ei hysgol nos doedd dim dewis ganddi ond ymuno.

Yn y dosbarth cyntaf cawsai gryn drafferth i'w deall; er ei bod yn siarad yn araf ac yn glir, roedd ei ffordd o ynganu rhai geiriau a rhai o'i hymadroddion yn gwbl estron iddi. Ai ar y cyfarfyddiad cyntaf hwnnw y cymerodd Miss Bevan yn ei herbyn? Neu, ynteu, onid oedd hi, wrth iddi edrych yn ôl, yn awr, gyda'r sarhad a gawsai wedyn yn lliwio popeth, yn ei gweld hi mewn gwaeth goleuni nag a wnaeth ar y dechrau, mewn gwirionedd? Ni allai fod yn siŵr. Pe cofiai'r argraff gyntaf yn iawn, roedd Miss Roberts wedi'i tharo fel menyw hunandybus braidd, ffroenuchel, tipyn o snob, yn wir. Os oedd hi'n galw pethau i gof yn iawn, felly gwelsai ei thrwyn pigfain, mwstas ysgafn dan y trwyn hwnnw, ac ar ei gwar glewynnau coch, chwyddedig yn casglu. Ac er na allai ymddiried yn yr atgofion hyn o'r amser cyn y sen, dywedasai yn ei meddwl "Ych-a-fi, ych-a-fi, Miss Roberts, gwnewch rywbeth am y marciau 'na." Gwnaethai ychydig o ymdrech i dynnu'i gwallt i guddio'r cornwydydd, dyna i gyd. A phan gawsai'r cyfle i nesáu ati sylwodd ar y gwynt baco ar ei hanadl a'r marciau brown ar ei bysedd. Oedd hynna'n wir, nawr? Neu a oedd yr hyn a ddigwyddodd wedyn yn gwneud iddi ei chamddarlunio? Yn tywyllu'i gwir deimladau cyntaf, efallai? Ai fel'na roedd hi mewn gwirionedd? Ar ôl disgwyl cwrdd â Pherson arbennig, a gawsai'i siomi, ei dadrithio o'r dechrau? Y peth pwysicaf a'i denasai at ddosbarthiadau Miss Roberts oedd y ffaith bod yr athrawes yn awdures a gwelsai Miss Bevan rai o'i storïau yn y cylchgronau Cymraeg yn y llyfrgell. Ac roedd hi wedi prynu copi o *Deian a Loli,* stori i blant. Wrth gwrs, roedd ganddi lawer mwy o ddiddordeb mewn pethau fel'na y pryd hwnnw, a hithau wedi bod yn sgrifennu storïau a cherddi ac wedi dechrau nofel, heb eu dangos i neb. O ble y daethai'r chwiw yna? Doedd hi ddim wedi treio llunio na stori na cherdd cyn ei bod yn ddeugain oed. Yna, yn ei stafell, aethai i lenwi tudalen ar ôl tudalen gyda'i sgrifen gyrliog, garlamus. Gwyddai, fe wyddai pam hefyd. Ar y dechrau bu'n ansicr ynglŷn â pha iaith i'w defnyddio; Cymraeg ynteu Saesneg? Os oedd hi'n coleddu gobaith o'u cyhoeddi ac ennill tipyn o arian, digon, o bosib, i'w rhyddhau o'i gwaith yn yr ysgol, yna nid oedd synnwyr mewn sgrifennu yn Gymraeg. Pe cyhoeddai yn Saesneg gallai ddefnyddio enw ffug ac ni fyddai neb a oedd yn ei nabod yn debygol o'i chysylltu hi â'r storïau – neb o'r pentre, neb o'r capel na'r ysgol. Ond ni theimlai'n siŵr o'i Saesneg ysgrifenedig. Cymraeg oedd ei hiaith naturiol, iaith ei mam a'i thad; cawsai ei magu ar fronnau'r ysgol Sul, emynau Pantycelyn a'r Beibl. A'r pryd hwnnw, roedd hi'n dechrau ymddiddori yn syniadau'r Blaid Genedlaethol newydd. Tybed a allai sgrifennu yn Gymraeg dan ffugenw? A fyddai ei chymdogion a'i theulu yn debygol o ddarllen ei gwaith a'i hadnabod hi? Pwy yn Aberdâr, wedi'r cyfan, yn ei chylch hi, oedd yn darllen Cymraeg? Ta beth, roedd y cwestiwn o gyhoeddi a dechrau sgrifennu – yn Gymraeg – hyd yn oed cyn iddi dorri'r dadleuon hyn, yn ei meddwl. Deuai'r syniadau iddi bob dydd yn ystod y dydd a hithau wrth ei gwaith gyda'r plant bach, ac yn y nos doedd dim byd arall i'w wneud ond eu harllwys ar bapur.

Mor bell, bell yn ôl yr ymddangosai'r amser hwnnw iddi bellach. Gallai edrych yn ôl arni hi ei hun fel person arall a'i gweld ei hunan yn cilio'n llechwraidd i'w hystafell bob nos gan beri penbleth i'w rhieni a'i chwaer.

"Oti popeth yn iawn, Rhiannon?" gofynnai ei mam.

"Beth sy'n mater? Ti ddim yn becso am ddim byd, nag wyt ti?"

"Nag ydw. Gwaith darllen i'r ysgol i'w 'neud, 'na i gyd." Gwyddai ei mam nad oedd galw am gymaint o ddarllen ar athrawes mewn ysgol babanod. On'd oedd hi wedi ymddwyn yn od, fel merch yn ei harddegau, yn hytrach na menyw yn agosáu at ei hanner cant? Ond doedd hi ddim yn teimlo'n wahanol i'r hyn oedd hi yn ei hugeiniau cynnar. Bu'n wirion, yn wir, ond doedd hi ddim wedi gweld ei ffolineb ar y pryd. Roedd ei storïau wedi llenwi ei horiau.

Ac roedd y llyfrau o'i hysgrifeniadau wedi cynyddu a bu'n rhaid iddi eu cadw dan glo rhag llygaid busneslyd ei mam, a'i chwaer mewn bocs mawr yn ei stafell wely. A beth oedd hi wedi bwriadu gwneud gyda'r holl storïau a'r cerddi, a'r nofel a dyfai o wythnos i wythnos, o fis i fis fel eiddew ar dalcen y tŷ? Anghofiasai am y syniad o gyhoeddi a bod yn awdures gefnog Saesneg, syniad ffôl. Anghofiasai, hyd yn oed, am y syniad mwy cyraeddadwy o fod yn awdures Gymraeg gyda thipyn o fri cyfrinachol. Roedd y gwaith a'r weithred o sgrifennu wedi llifo dros y ffantasïau yna a'u boddi. Nes iddi glywed am ysgol nos Kate Roberts.

Efallai ei bod hi wedi cymryd ati ar y dechrau; wedi'r cyfan, aethai i'w nosweithiau yn gyson ac âi yn gynnar, yn y gobaith o gael gair gyda Miss Roberts ar ei phen ei hun. Ac fe ddigwyddodd hynny ar yr ail noson yn y gyfres o ddarlithiau.

"Nosweth dda, Miss Roberts."

"Noswaith dda. 'Dach chi'n gynnar!"

"Des i yma'n syth o'r orsaf. Dw i wedi bod i Gaerdydd heddi."

" 'Wedi bod *yng* Nghaerdydd heddiw', nid 'wedi bod i

Gaerdydd'," meddai hi'n eithaf snaplyd. "Mae 'wedi bod i' yn groes i arfer y Gymraeg."

Yna taflodd ei bag ar y ddesg fawr mewn ffordd hynod o flin. Eisteddodd ar y gadair a chymryd sigarét a thaniwr lliw arian o ryw boced yn ei chôt a'i chynnau. Pwysodd yn ôl yn y gadair wrth ddrachtio'r mwg a gadael iddo ddianc yn araf wedyn o'i thrwyn a chorneli'i cheg. Troai cymylau o fwg glas fel plu o gwmpas ei hwyneb a'i gwallt. Sylwodd Miss Bevan ar y sigarét ym mysedd ei llaw dde, roedd hi'n crynu fel deilen.

"Mygyn bach cyflym cyn i'r bobl eraill ddŵad," meddai. "Athrawes ydach chi, yntê?"

"Otw. Yn ysgol y babanod yn Aberaman."

"Saesneg 'di'r iaith?"

"Oty."

" 'Na'r drwg," meddai Miss Roberts gyda dirmyg. "Nid yw'r Tsieineaid yn Tsieina yn dysgu Saesneg i'w plant. Iaith plant Ffrainc yn yr ysgolion ydy'r Ffrangeg, nid Saesneg." Tynnodd ar ei sigarét ac edrych i rywle yn y pellter am hydoedd, a golwg bell a breuddwydiol yn ei llygaid, fel petai'n astudio map yn yr awyr.

Yn fuan wedyn daethai aelodau eraill o'r dosbarth ac ni chafodd Rhiannon gyfle arall y noson honno i siarad â Miss Roberts wrth ei hun. Sodrodd y ddarlithwraig sbectol fframiau trilliw trwm ar ei thrwyn a'r gwydrau yn chwyddo'i llygaid i deirgwaith eu maint naturiol. Gwrandawodd Rhiannon arni a chymryd nodiadau o'i sylwadau ar R G Berry a Glasynys ac R Dewi Williams ac R Hughes Williams. Yr argraff a gâi Miss Bevan oedd nad oedd Miss Roberts yn licio gwaith yr un o'r llenorion hyn. Sôn amdanynt a wnaeth hi oherwydd eu bod wedi sgrifennu yn Gymraeg. Rhoes fwy o sylw i R Hughes Williams, nid am ei bod hi'n credu ei fod yn well na'r lleill, eithr am ei fod yn hanu o'r un pentre â hi.

"Marw o diciâu y mae cymeriadau Richard Hughes Williams," meddai, "does neb yn marw o'r cancr er mwyn tipyn o newid."

Ei hoff lenorion hi oedd Miss Katherine Mansfield, y Dywysoges Bibesco, Jane Barlow ac O Henry. Yna, un noson cafwyd sgwrs ar y ddrama. Unwaith eto, y tro hwnnw, cyraeddasai Rhiannon yn warthus o gynnar. Ond nid Rhiannon Bevan oedd yr unig un. Yno, o'i blaen hi, yn disgwyl yr athrawes oedd un o'r ychydig ddynion oedd yn y dosbarth, sef Penri Thomas, a oedd yn cadw siop yn y pentre. "Shwd 'ych chi, Miss Bevan?" gofynnodd. "Mae Miss Roberts yn mynd i siarad am Saunders Lewis heno."

Aeth yn ei flaen wedyn i ddweud sut roedd Miss Roberts wedi trefnu i Saunders Lewis ddod i Aberdâr i siarad am Blaid Cymru ac i annerch y Cymmrodorion. Ofnai Rhiannon na fuasai'n cau'i bill, byth. Roedd ei ên ar siâp bynsen fach gron gyda phant yn ei chanol ac wrth wrando arno'n clebran ni allai Rhiannon edrych ar ddim ond ar y fynsen yn symud. Yna ymddangosodd Miss Roberts. Sathrodd sigarét dan ei sawdl wrth ddrws yr ysgol.

"Ydach chi'n codi cyn cŵn Caer i fod yma mor gynnar, 'dwch?" meddai. Teimlodd Rhiannon ei bod braidd yn ysmala ynghylch aelodau mwyaf brwd y dosbarth; wedi'r cyfan onid oedd y lleill yn ddigon di-fraw, a hithau'n eithaf di-barch tuag atynt? Nid oedd hi fel petai hi'n licio neb a ddeuai i'w hysgol nos.

Ac am Saunders Lewis y siaradodd, yn union fel y dywedasai Mr Thomas. Roedd hi'n ei ganmol i'r cymylau – yn wir ni allai Mr Lewis wneud dim byd o'i le yn ei barn hi; Mr Lewis oedd y llenor mwyaf yn Ewrop, roedd Mr Lewis yn feddyliwr mawr, roedd gan Mr Lewis arddull ardderchog, roedd Mr Lewis yn feirniad llên heb ei ail, 'doedd neb yng Nghymru i'w gymharu ag ef. Gwelsai Rhiannon y Saunders Lewis hwn un tro, a hen gorrach o aderyn merchetaidd oedd e. Onid oedd ei gwerthfawrogiad ychydig dros ben llestri yn ei foliant ohono? A'r tu ôl i'r edmygedd synhwyrodd Miss Bevan rywbeth arall nad oedd yn cael ei fynegi mewn geiriau. Beth oedd e? Parchedig ofn? Na, rhywbeth gydag elfen o gystadleuaeth yn rhan o'i gyfansoddiad. Cenfigen.
Ar ôl siarad am ryw ddeugain munud gwahoddasai Miss Roberts 'sylwadau o'r llawr'. Ni fuasai neb wedi dweud gair ond ymwrolodd Rhiannon i wneud sylw cyffredinol ynglŷn â gwerth tragwyddol prif themâu llenyddiaeth. Ond pan ddywedodd y gair 'tragwyddol' gollyngasai Kate Roberts ochenaid fel awel yn rhuo drwy ddrws a chladdu'i hwyneb yn ei dwylo.

"Tragwyddol! Tragwyddol!" gweiddodd. " 'Dach chi'n merwino 'nghlustiau i efo'ch camacennu. Does dim 'gwydd'," meddai gan daro'r ford gyda'i dwrn, "does dim 'gwydd' yn 'tragwyddol'."

Yn ei hymdrech i gadw'i dagrau rhag powlio o'i llygaid, i lawr ei gruddiau, cnoasai Rhiannon ei gwefus isaf a phan adawodd yr ysgol y noson honno cafodd fod ei cheg yn llawn gwaed.

I beth y trafferthai i sgrifennu, gofynasai Rhiannon i'w hunan ar ôl ei phrofiad yn y dosbarth y tro hwnnw, os nad oedd ei Chymraeg yn ddigon cywir i siarad? Deallai erbyn hyn mai hunan-dwyll oedd llenwi bocs o bapurau o dan ei gwely yn ei sgrifen egnïol heb amcan i'w cyhoeddi. Beth oedd eu gwerth? Yr unig ffordd i gael gwybod fyddai gadael i rywun arall eu darllen. Ac nid rhywun rhywun, fel un o'i chydathrawon – nad oedd ganddynt glem ynglŷn â gwerthoedd llenyddol – na'i chwaer na'i thad, na allent fod yn wrthrychol, ond rhywun gwybodus a deallus. Dewisodd ei thair stori orau, y goreuon yn ei barn hi. Yr un am y llanc ifanc a oedd yn gorfod priodi barmêd ar ôl ei chael hi i drwbwl. Yr un am y siopwr yn torri lawr ac yn cael *nervous breakdown*. A'r un am y fenyw a oedd yn gorfod troi at ei chwaer am gymorth ar ddiwedd ei hoes. Rhoesai'r storïau ill tair mewn amlen ffwlsgap a sgrifennu arni 'Miss Kate Roberts BA' yn ei llaw glir, agored. Aethai i'r dosbarth yn gynnar eto yr wythnos honno, ac wrth lwc 'doedd neb wedi achub y blaen arni. A phan gyrhaeddodd yr athrawes magodd ddigon o blwc i gyflwyno'r amlen iddi a gofyn a fyddai mor garedig ag edrych dros y storïau.

Ni allai Rhiannon ganolbwyntio ar y ddarlith y noson honno. Ni chofiai'r un gair ohoni wrth iddi gerdded yn ôl i Drecynon wedyn, a naws eira yn yr awyr.

Weddill yr wythnos ni allai gadw ei meddwl ar ei gwaith. Pan ddeuai'r plant ati gyda'u storïau bach a'u hanafiadau cyffredin ni roes iddynt ei sylw arferol. Yn y nos, nid âi i'w stafell i sgrifennu, eithr eisteddai'n dawel a gwrando ar ei mam a thad yn chwerthin ac yn cweryla, am yn ail.

Daeth noson y dosbarth, wrth gwrs, ar ôl hir ymaros. Ac aethai Rhiannon yn gynharach nag arfer hyd yn oed drwy'r eirlaw main a bu'n rhaid iddi aros y tu allan am dipyn nes i'r porthor agor y drysau. Roedd hi'n sythu yn ei chadair wrth i aelodau eraill y dosbarth gyrraedd, y ffyddloniaid.

Ond roedd Miss Roberts yn ddiweddar a phan gyrhaeddodd nid edrychai ar Rhiannon o gwbl. Yng nghwrs ei thrafodaeth dywedodd:

"Chawn ni ddim nofel na drama yng Nghymru am nad ydym yn meiddio byw."

A dyna'r unig dro iddi daflu cipolwg i gyfeiriad Rhiannon. Edrychasai i fyw ei llygaid ac yna droi i ffwrdd. Ond meddiannwyd Rhiannon gan ryw rym anhygoel ac er mawr syndod i bawb yn y dosbarth cododd ei llais a thorri ar draws y dosbarth i ddweud:

"Beth y'ch chi'n 'feddwl wrth fyw?"

Nid atebodd Kate Roberts.

Ar ddiwedd y dosbarth daethai'r llenor ati gyda'r amlen gan ddweud:

"Dyma'ch straeon chwi. Cewch chi ddarllen fy sylwadau arnynt."

Symudasai Rhiannon i ddweud rhywbeth ond codasai Miss Roberts ei llaw:

"Na," meddai, "does gen i ddim amser i'w trafod rŵan. Rwy'n rhy flinedig wedi diwrnod o waith caled yn 'rysgol."
A throes ar ei sawdl ac i ffwrdd â hi. Ac wrth iddi droi sylwasai Rhiannon Bevan ar y cramennau coch a melyn afiach ar ei gwar.

Yn seintwar ei stafell agorasai Rhiannon yr amlen a'i gwynt yn ei dwrn. Pan ddywedasai Kate Roberts y câi hi ddarllen ei sylwadau ar y storïau nid oedd Rhiannon wedi cymryd hynny yn llythrennol. Ond, yn wir, dyna lle'r oedd ei sylwadau ar ei storïau *ar* y storïau; ar yr ymylon, ar ben ac ar waelod pob tudalen mewn inc coch. A suddasai ei chalon pan welsai'r marciau coch, y cywiriadau ar ben cywiriadau, y dileadau, yn wir! Teimlai fel merch ysgol. Prin yr oedd yna frawddeg heb fod Miss Roberts wedi tynnu sylw at ryw wall, neu wedi newid rhywbeth, ac aethai mor bell ag ail-lunio rhannau o'i storïau. Nawr, ni allai Rhiannon alw i gof sylwadau Kate Roberts ar ei gwaith heb i'w dicter ei llorio. Dywedasai ei bod hi'n rhy oer, doedd dim i gysylltu'r darllenydd â'i chymeriadau, dim digon o gydymdeimlad a bod ei harddull yn rhy esmwyth, llyfn a di-dolc a dim digon o dafodiaith ynddi.

Roedd Rhiannon wedi rhwygo'r storïau yn ddarnau bach. Nid yn unig y tair y dangosasai i'r llenor ond pob llawysgrif yn ei bocs; pob cerdd, pob stori a'r nofel yn gyfan gwbl. Yna ymdyngedasai Rhiannon na fyddai'n sgrifennu byth eto ac ar ben hynny na fyddai'n darllen gair o Gymraeg y tu allan i'r capel byth eto. Yn wir troesai'i chefn ar bopeth Cymraeg am amser hir.

Ond yn awr, dyma'r llyfr newydd hwn yn dod i'w sylw. Pam? A oedd rhyw dynged wedi trefnu pethau fel hyn? Fel arall ni fuasai wedi darllen *Rhigolau Bywyd* o gwbl, ac ni fuasai wedi gweld y storïau yn hynod o dila – ac o leiaf tair ohonynt yn gyfarwydd iawn (er bod y dafodiaith wedi newid) – ac ni fuasai wedi cofio Miss Roberts yn dweud na chawn lenyddiaeth yng Nghymru am nad ydym yn meiddio byw.

Tŷ'r Athro

ROEDD E'N NERFUS IAWN. Edrychodd ar ei wats eto, am yr ugeinfed tro efallai yn ystod y deng munud diwethaf. Roedd e'n dal i fod yn rhy gynnar, pum munud i dri. Cyraeddasai ar y bws dri chwarter awr yn ôl ac ers hynny bu'n cerdded o gwmpas yr ardal ddieithr hon lle roedd y tai i gyd yn braf a'u gerddi yn llydan a lawntiog a thaclus a dau gar, tri hyd yn oed, yn nreif y rhan fwyaf ohonynt; yn ceisio gwastraffu'r amser tan yr awr benodedig. Safai yn awr o flaen y drws mawr gyda dau bren bocs siap lolipop o bobtu iddo. Canodd y gloch. Atseiniodd ei sŵn, ding-dong-ding-dong, trwy'r clamp o dŷ. Teimlai fel rhedeg i ffwrdd. Yn sydyn roedd y drws wedi agor a dyna lle roedd yr Athro yn sefyll o'i flaen.

"Ah! Y dyn ei hun," meddai'r Athro. Roedd e'n wahanol rywsut, dim siwt, dim tei, cardigan, trowsus llac a golau, a'i sbectol yn ei law yn lle bod ar ei drwyn. Popeth yn dweud amdano 'Mae'n ddydd Sul, dwi'n ymlacio!'

"Tyrd i mewn," meddai a rhoes ei fraich am ei ysgwydd mewn ffordd ewythraidd.

Tŷ mawr moethus, carpedlyd, clustogaidd. Kyffinlwythog a Ceri-edig. Lluniau mewn fframiau aur ar bob wal, ornamentau chwaethus a brau.

"Tyrd i'r lolfa, mi a' i i chwilio am Linda i ddweud dy

fod ti wedi cyrraedd. Eistedda i lawr."

Eisteddodd mewn gwely o gadair esmwyth gan edrych o'i gwmpas ar y tsieina, yr arian, y clociau hir yn mynd tip-tip-tip wrth iddo ddisgwyl, a'r tân yn ei rostio.

Daeth yr Athro yn ôl gyda'i wraig; roedd hi'n cario tryg ar ei braich ac yn wên ac yn sent i gyd.

" 'Di bod yn 'rar," meddai, " 'dan ni'm 'di cael cyfla efo'r holl law 'ma, nac'dan? Ti'n garddio?"

"Dim o gwbl."

Roedd ei lety yn llaith a thyfai madarch ar wal ei stafell wely ond doedd hynny ddim yn cyfrif fel garddio, roedd e'n siŵr o hynny.

"Gymri di sieri, ynte te?"

Doedd e ddim yn siŵr ei fod e'n ei deall hi, mor ddwfwn oedd ei Chymraeg, mor rhwydd. Yr un peth â'r Athro er bod iaith hwnnw yn fwy niwtral ac academaidd; roedd ganddo duedd i fwmblan ac weithiau roedd e'n gorfod gofyn iddo ailadrodd a enynnai ochenaid flin a diamynedd wedi'i thanlinellu gan 'dwt-twt' a rhowlio'r llygaid i'r nefoedd cyn ailadrodd – yr un mor gyflym, yr un mor aneglur.

Beth i'w ateb? Dweud te er mwyn creu argraff o sidetrwydd? Sieri, a chyfaddef i hoffter o alcohol – hyd yn oed ar y Sul! Ond onid oedden nhw'n cynnig sieri ar y Sul?

"Te," meddai.

"Dw i am gymryd sieri fy hun," meddai'r Athro.

"A'i i'r gegin i hwylio te," meddai'i wraig.

Eisteddodd yr Athro a gwydryn bach o sieri yn ei law, gan ochneidio a gwneud sŵn blinderus ac ymlacio.

"Ie, wir, ie wir," meddai.

Teimlai fod disgwyl iddo dynnu sgwrs â'r Athro ond ni wyddai am beth yn y byd i sôn. A ddylai sôn am ei waith ymchwil? Go brin. Ei lety ofnadwy?

"Papurau Sul 'n fan'cw," meddai'r Athro.

Daeth ei wraig yn ôl gyda hambwrdd â llestri tsieina a theisen arno a'i osod ar *pouffée* yng nghanol y stafell.

"Helpa d'hun," meddai yn heulog, " 'stynnwch bois!"

Pobl garedig, pobl glên wedi'i wahodd i'w cartref i dreulio prynhawn dydd Sul cyfforddus yn lle bod ar ei ben ei hun yn ei lety llwm, llaith. Ond ni allai deimlo'n gyfforddus heb sôn am fod yn gartrefol er gwaethaf eu hymdrechion hynaws. Siaradai'r fenyw fel melin bupur drwy'r amser.

Yn sydyn ymddangosodd eu merch.

"Ah, Mari," meddai'r Athro, "dyma un o'm myfyrwyr ymchwil i."

Eisteddodd hithau ar y llawr a chymryd darn o'r deisen. Mor naturiol, dim swildod, hyderus, cyfeillgar. Siaradai fel ei mam, yn ddi-stop. Siaradai'r Athro am ei blentyndod a siaradai'i wraig am ei phlentyndod hithau. Aeth Mari i nôl ei albwm lluniau a dangos hen ffotograffau o'i rhieni a'u teuluoedd.

"Dyma 'Nhad pan oedd o'n ugian oed."

"Del, 'n 'toedd o?" gofynnodd ei wraig.

Oedd, roedd e'n hynod o bert – gwallt tywyll, aeliau trwchus, gruddiau â rhosys ynddynt, cyhyrog hefyd. Edrychodd y fam a'r ferch arno. Oedden nhw'n disgwyl iddo ateb y cwestiwn o flaen yr hen Athro boldew, sych, byr ei wynt? Roedden nhw'n disgwyl iddo wneud sylw o ryw fath. On'd oedd ei arafwch yn dangos ei fod e'n cytuno? Oedd, roedd yr Athro yn ddel pan oedd e'n ifanc a barnu wrth y lluniau hyn. Ond allai fe ddim dweud hynny o flaen y dyn ei hun.

Cododd yr Athro o'i gadair, gan dorri'r distawrwydd bach anghyfforddus.

"Dw i am fynd i'r lolfa arall i wylio'r gêm. Ti am ddŵad neu 'tisio aros yma efo'r merched?"

Suddodd ei galon a phlymio drwy'r llawr. Dyma gyfyng gyngor. Nac oedd, doedd e ddim eisiau mynd i wylio rhyw gêm – pa gêm? – doedd ganddo ddim diddordeb mewn unrhyw sbort. Yn wir, roedd e'n casáu chwaraeon. Fyddai fe ddim yn gwybod pa ochr i'w chefnogi, pryd i borthi, pryd i guro'i ddwylo. Ac roedd y syniad o fod mewn stafell gyda neb arall ond yr Athro sych, diserch a'i getyn pîb yn wrthun iddo. Roedd e wrth ei fodd gyda gwraig yr Athro a'i ferch yn edrych drwy'r hen luniau. Doedd e ddim eisiau'u gadael nhw. Ar y llaw arall pe bai'n ei esgusodi'i hunan o fynd i wylio'r gêm oni fyddai hynny yn gwneud argraff anffafriol ar yr Athro? A beth am y menywod? Beth oedd eu dymuniad hwy? Ei weld e'n dilyn yr Athro i'r lolfa arall er mwyn iddyn nhw gael siarad am beth bynnag mae merched yn siarad pan nad oes dyn o fewn clyw? Dyma bicil. Ond dyn clên oedd yr Athro a doedd e ddim yn hitio'r naill ffordd na'r llall. Neu oedd e? Oedd e wedi rhoi rhyw fath o brawf iddo fel hyn?

Cyn iddo benderfynu sut i ateb agorodd drws y lolfa a daeth llanc ifanc golygus i'r stafell, yr un ffunud, yn wir, â'r Athro yn y llun ohono yn ugain oed.

" 'Tisio dod, Gwion?" gofynnodd yr Athro i'r llanc.

"Ble?"

"I wylio'r gêm."

"No way José."

Hyrddiodd Gwion ei gorff ar un o'r cadeiriau esmwyth a gorwedd-eistedd yna'n bwdlyd gan fflipio trwy dudalennau sgleiniog cylchgrawn y papur Sul mewn ffordd ddifater.

"Dw i'n mynd 'te," meddai'r Athro a diflannu heb droi blewyn. Doedd y ffaith nad oedd ei fyfyriwr yn ei ddilyn yn mennu dim arno.

" 'Tisio darn o gacan, Gwion?" gofynnodd ei fam.

"No way José."

" 'S rhaid i ti rygnu ar yr un hen dant 'na o hyd?" gofynnodd ei chwaer. Roedd 'na dyndra yma.

"Pa hen dant?" gofynnodd Gwion, a'i aeliau tywyll yn gwgu, a'i wefusau pert yn pwdu.

"Ti'n gwbod yn iawn y 'no way José' bondigrybwyll 'na."

"Ow 'bondigrybwyll', clywch Miss Eisteddfod 1933."

"Mae cwmni efo ni," meddai gwraig yr Athro. Edrychodd y mab ar yr ymwelydd am y tro cyntaf. Edrychodd drwy'r ymwelydd ac i mewn iddo gan ei ddinoethi a thynnu'i ddillad a'i ddadwisgo a'i adael yn borcyn.

"Ymph!" meddai, â chwa o ddirmyg.

"Dyma Llinos," meddai Mari gan ddangos mwy o luniau iddo.

"Ein merch hyna'," meddai Linda, gwraig yr Athro, "mae hi'n byw yng Nghaerfaddon rŵan ble mae ei gŵr yn gyfarwyddwr cwmni cyfrifiaduron. Dau o blant hyfryd efo nhw, Pippa sy'n dair a Seb sy'n ddeunaw mis."

"Dyma Pwyll," meddai Mari gan ddangos llun o lanc ar y traeth yn torheulo, a'i gorff cyhyrog yn sgleinio yn yr haul, a'i wyneb pert yn debyg i wyneb Gwion a'i aeliau du trwchus fel aeliau yr Athro.

"Mae o'n llawfeddyg yn Saudi Arabia," meddai Linda.

"Dyma Math," meddai Mari gan ddangos llun o lanc golygus arall ar y traeth, yr un traeth, yr un diwrnod yn ôl pob tebyg ond mewn lle arall ar y traeth hwnnw, yn barod i daflu pêl fawr streipiog at y camera, a'i wên ddireidus yn datgelu ei ddannedd perffaith, a'i wyneb yr un mor berffaith ag wynebau ei frodyr, a'r aeliau tywyll fel aeliau ei dad.

"Dyma'r unig lun diweddar ohonon ni gyda'n gilydd," meddai Mari, "adeg fy ngradd i yn Rhydychen."

A dyna lle'r oedd Mari yn ei chap a'i gown a'i chwaer a'i brodyr a'i mam a'i thad o'i chwmpas. Amlygodd y llun hwn y gwahaniaeth oedran rhwng y chwaer a'r brodyr hŷn a Mari a Gwion. Roedd Llinos yn fenyw denau, ac roedd ei chorff a'i hwyneb yn llawn straen a thyndra, er gwaetha'r wên briodol ar gyfer yr achlysur. Ond beth a ddigwyddasai i'r bechgyn hardd ar y traeth? Yn eu lle roedd 'na ddau ddyn canol oed a thew, y naill yn farfog a'r llall â llygaid dyfrllyd a thrwyn coch. Roedd Gwion tua thair ar ddeg oed pan dynnwyd y llun.

Ychydig yn nes ymlaen ar ôl iddo yfed ei ail gwpanaid o de daeth awydd anorchfygol dros yr efrydydd i fynd i'r tŷ bach. Ond ble roedd y lle hwnnw? Mewn tŷ mor fawr ni allai fentro o'r lolfa a chymryd ei siawns i chwilio amdano. Rhaid iddo ofyn. Ond gofyn o flaen y mab torcalonnus o olygus, a'r ferch soffistigedig a'r wraig. Byddai'n troi'n biws, byddai'n marw o embaras. Ond doedd ganddo ddim dewis.

"Plis," dechreuodd a throes yr holl lygaid i'w gyfeiriad a

rhoi'u sylw i gyd iddo – roedden nhw'n gwrando, yn aros. Ie? "Os gwelwch yn dda," meddai wrth y gynulleidfa, "ble mae'r?" a gadawodd i'r frawddeg hongian yn yr awyr yn ddigynffon. Roedden nhw'n siŵr o ddeall, yn siŵr o lenwi'r bwlch gyda'r gair priodol, on'd oedd hi'n amlwg? Ond 'doedd hi ddim. Roedden nhw'n aros o hyd a'r tri ohonynt yn ei ewyllysio i orffen ei gwestiwn. Ond pa air i'w ddefnyddio? On'd oedd 'tŷ bach' yn rhy werinol, yn rhy ddeheuol, yn consurio hen gwt ar waelod yr ardd a darnau o bapur newydd ar hoelen y tu ôl i'r drws? 'Lle chwech' oedd y term yn y gogledd a gogleddwyr oedd y bobl 'ma – ond a oedd hawl ganddo i ddefnyddio ymadrodd gogleddol? A fyddai'n swnio'n naturiol neu a fyddai'n swnio fel petai'n gwneud hwyl am eu pennau nhw? Roedd 'toiled' yn rhy Seisnigaidd a chlinigol. 'Cyfleuster' yn rhy gyfieithlyd, iaith Cyngor Sir.

"Ble mae'r stafell ymolchi?" gofynnodd o'r diwedd a sylweddoli, yn rhy hwyr, fod hyn yn gyfieithiad slafaidd o Americaniaeth.

"Dos i ddangos iddo fo, Gwion," meddai'r fam.

O na! Trychineb y trychinebau! Yr embaras, y cywilydd o orfod dilyn Gwion perffaith, rhywiol, ffroenuchel, ysgornllyd.

Cododd Gwion o'r gadair gan daflu'r cylchgrawn i'r llawr, edrychodd ar yr ymwelydd fel petai'n faw isa'r domen.

"Ffordd hyn," meddai ei wefusau llawn, pert gan gyrlio mewn gwawd ac anffurfio'i ruddiau llyfn pinc.

Dilynodd y bachgen allan o'r lolfa ac i fyny'r grisiau

gan edrych i fyny at ei ben-ôl. Y ffolennau fel afalau caled, pedrain march. Faint o risiau oedd yna yn y tŷ hwn? Oedd 'na ddiwedd iddynt, Wyddfa o dŷ. O'r diwedd, y landin ac yna heibio i ddrws ar ôl drws.

"A dyma'r 'ystafell ymolchi'," meddai Gwion a gallai'r efrydydd deimlo'r gwawd yn y dyfynodau, yn hedfan fel titŵod bach o gwmpas y geiriau.

* * *

Pan ddaeth yn ôl i'r lolfa roedd Mari yn gorwedd ar y llawr yn b'yta siocledi a dim golwg ar Gwion yn unman na'r Athro chwaith. Roedd ei wraig yn procio'r tân fel petai'n trywanu'i gelyn pennaf.

"Ti'n teimlo'n well rŵan?" gofynnodd.

Cwestiwn lletchwith a phersonol braidd. Oedd e wedi rhoi'r argraff ei fod e'n anghyfforddus cyn iddo fynd lan i'r tŷ bach? A wnaeth e ollwng rhech anfwriadol heb sylwi? Ddim hyd y cofiai. Oedd e i fod i ateb y cwestiwn? Penderfynodd ei adael. Ond canlyniad hynny oedd bwlch hir o ddistawrwydd fel y Sahara a neb yn dweud dim.

"Siocled?" cynigiodd Mari o'r diwedd.

"Oh! os gwelwch yn dda... diolch yn fawr".

Doedd e byth yn gwybod sut i dderbyn cynnig fel'na. Swniai 'Ie' yn rhy frwd a gwancus. 'Os ca' i?' yn rhy ffug-ddiymhongar ac eto yn ymwthiol ar yr un pryd. 'Plis' bach cwta a diymdrech fyddai'r ateb gorau a mwyaf naturiol ond ddim yma yn nhŷ teulu'r Athro. Ac eto, er bod yr Athro yn blismon iaith, hwyrach nad oedd hynny yn wir am ei deulu. Cawsai'r un trafferth ychydig yn gynharach, lan lofft, pan ddaethai allan o'r tŷ bach, wrth ateb cynnig Gwion – yr un hen ymbalfalu am eiriau. Ond, yn y diwedd, doedd dim angen geiriau, dim un.

Wrth ei Gynffon

ROEDD ARWEL YN DDEUGAIN ac er mwyn dathlu'r achlysur roedd ef, Annwen ei wraig, a rhai o'u ffrindiau yn mynd allan am bryd o fwyd arbennig.

Wrth goluro'i hwyneb roedd Annwen yn pwdu. Mor ddigychwyn, mor ddiantur, mor ddof oedd Arwel. Aethai'n barchus ac yn ganol oed, dosbarth canol a rhywsut roedd e wedi llwyddo i'w llusgo hithau i'r canol gyda fe.

Nawr, ychydig o wythnosau 'nôl cawsai Huw – un o'r ffrindiau a fyddai yn ymuno â nhw y noson honno – cawsai Huw ei ben blwydd yn ddeugain oed ac roedd e wedi'i ddathlu i'r eithaf. Llogasai neuadd a phobl broffesiynol i ofalu am y bwyd (cimwch, cyw iâr, teisennau, wyau soflieir, cnau, creision, *quiches,* selsyg a winwns a chaws ar briciau, jeli, hufen iâ, brechdanau, siocledi...); gwariasai ffortiwn ar ddiodydd – cwrw a gwinoedd a siampên afraid dweud; cawsai'r neuadd ei haddurno – canhwyllau, balwnau, sêr, goleuadau, blodau, rhubanau a phapur amryliw. Daethai cannoedd – yn llythrennol – cannoedd o'i ffrindiau a'i deulu; bu ei fam yn bresennol a'i chwaer, a phlant ei chwaer a phlant plant ei chwaer – pob oedran, felly. Trefnwyd miwsig a dawnsio a gemau drwy'r noson, a stripar hyd yn oed. Mae'n wir, meddyliai Annwen, fod y dynion hoyw 'ma yn mynd dros ben llestri, fel arfer, ond cawsant hwyl a bu'n rhaid iddi edmygu Huw am ddefnyddio cymaint o egni a dychymyg. Doedd e ddim yn ildio i amser, yn wahanol i rai pobl, meddyliai gan daro cipolwg ar ei gŵr yn y drych. Pam roedd hi ac Arwel, wel Arwel a hithau yn ei ddilyn fel cynffon – pam roedd yn rhaid iddyn nhw dderbyn y drefn a mynd mor ddiliw a digychwyn fel pawb arall? Swydd Arwel, ei barchus arswydus swydd fel prifathro, a'r plant, oedd wedi gwneud y gwahaniaeth. Yn ddiweddar aethai Annwen i alw ei meibion (yn ei phen, yn ei dychymyg, wrth gwrs), aethai i feddwl am y tri ohonyn nhw fel triawd y buarth – mor flêr a gwyllt a brwnt oedden nhw. Yr hynaf, Aneirin, yn ei arddegau, a'r ddau arall, Taliesin ac Elffin ar drothwy'r arddegau. Ei babanod bach diddig a meddal wedi troi'n anifeiliaid anystywallt a drewllyd. Ond am fod ganddyn nhw'r creaduriaid hyn roedd rhyw ddisgwyl anysgrifenedig gan Gymdeithas iddi hi ac Arwel ymddwyn yn barchus drwy'r amser o hyn ymlaen. Canol oed, dosbarth canol, canol y ffordd. Fel yn y gân – ond ni allai gofio pa gân – henaint ni ddaw ei hunan!

Roedd Annwen yn barod. Galwodd ar Arwel i gau'i sip iddi. Gallai Annwen weld yr ystrydeb – y gŵr yn cau sip ar gefn gwisg y wraig cyn iddyn nhw fynd allan.

Syniad, yn wir, dymuniad Arwel oedd dathlu'i ben blwydd fel hyn. Roedd y tacsi wedi cyrraedd. Ble roedd ei bag? Ffarweliodd â thriawd y buarth gan eu siarsio i fihafio ac i beidio â rhoi dim trafferth i Megan.

"Dyma'r rhif ffôn, Megan," meddai Annwen. "Os gei di unrhyw drafferth gyda nhw ffonia fi'n syth. Paid â gadael iddyn nhw dy f'yta di, maen nhw'n anifeiliaid, cofia."

"Paid â phoeni, Annwen. Mwynheuwch eich hunain chi'ch dau!"

Cymerodd Arwel ei braich wrth iddynt gerdded o'r tacsi i'r bwyty. Fyddai fe ddim yn dal ei braich fel arfer; dal ei llaw, digon teg, digon serchus; ond roedd rhywbeth artiffisial yn y dal braich 'ma. Rhywbeth defodol, dieneiniad. Nawr, gŵr a gwraig canol oed oedden nhw, dim byd o'i le ar hynny, dim byd o'i le ar y gwirionedd, ond a oedd yn rhaid iddo fe selio'r peth fel hyn a bod mor barod, mor falch o chwarae'r rhan?

A dyma nhw yn y bwyty. Lle crand iawn, y gorau yn y ddinas. Lle i ddathlu bod yn ganol oed. Ac yno yn eu haros roedd Huw a'i gariad diweddaraf.

"Annwen! Arwel!"

Pam roedd yr hoywon 'ma yn gorfod gweiddi? Dyna broblem Huw, roedd e'n gorfod bod mor hoyw drwy'r amser. Swnllyd, ffraeth, difyr, allblyg. Roedd e'n siŵr o ddechrau canu 'Pen blwydd hapus' cyn i'r lleill gyrraedd hyd yn oed.

"Pen-blwydd ha-pus i ti! Pen-blwydd ha-pus i ti! Pen-blwydd ha-pus an-nwyl ARR WEEEL. Penblwyddhapusiti! A shw ma'r 'birthday boy' ei hun? Shw ma fe'n teimlo i fod yn DDEUGAIN nawr?"

Roedd Arwel yn teimlo'n chwithig, a phawb yn y lle yn edrych arnyn nhw gan fod Huw wedi gwneud cymaint o sioe a chymaint o sŵn. Weithiau, teimlai Annwen fel rhoi clatsien i Huw. Ond wiw iddi ddweud gair yn ei erbyn o flaen Arwel. Roedden nhw'n hen hen ffrindiau, fel brodyr, bron; wedi bod yn yr un ysgol yn blant bach, eu mamau yn nabod ei gilydd. Ac roedd Arwel wedi dweud wrthi sawl gwaith " 'Sdim ots am ei rywioldeb, cy'd bo fe ddim yn trio dim byd 'da fi". A doedd e ddim wedi trio erioed, meddai Arwel.

"O mae'n ddrwg 'da fi," meddai Huw, " 'na anghwrtais ydw i. Dyma Nigel. Nigel dyma'r hyfryd Annwen, a dyma Arwel..."

Wrth iddynt gyfarch ei gilydd, wrth iddynt ysgwyd llaw, gallai Annwen weld yn syth bod Nigel yn ffansïo Arwel. Roedd y dynion hoyw 'ma bob amser yn ei ffansïo. Ac roedd hi mor amlwg, doedden nhw ddim yn gallu cuddio'r peth. Wrth iddi ysgwyd llaw Nigel (llaw lipa, feddal, oer, ferchetaidd hefyd) edrychodd i fyw ei lygaid er mwyn ei rybuddio rhag trio dim byd. Ar hynny cyrhaeddodd y lleill.

"Yvonne! Paul!"

Gwaeddodd Huw wrth eu gweld nhw. Rhaid iddo fe feddiannu canol y llwyfan er mwyn gwneud yn siŵr bod y goleugylch wedi'i ganolbwyntio arno fe unwaith eto, er mai pen blwydd Arwel oedd hi. Ond roedd Arwel a Paul yn derbyn Huw a phopeth a wnâi. Efe oedd yr hynaf o'r hen ffrindiau, wedi'r cyfan.

A nawr dyma nhw, ill chwech, yn eistedd o gwmpas y ford gron. Mor fân oedd y mân siarad a lithrai'n rhwydd drwy hidl eu personoliaethau. Hyhi yn eistedd rhwng Yvonne a Nigel, yn wynebu Arwel, a'r ddau arall yn wynebu'u partneriaid hwythau. Ond gan fod y ford yn un gron roedd Paul wrth ochr Yvonne a Huw wrth ochr Nigel. Dim ond y hi ac Arwel oedd wedi cael eu gwahanu gan holl bellter y ford. Y gweinydd oedd wedi'u gosod nhw fel'na, wedi'u harwain at eu bord ac wedi trefnu iddyn nhw gael eistedd fel hyn. Roedd hi wedi sylwi ar y gweinydd ac am ryw reswm doedd hi ddim yn ei licio fe o gwbl. Ond roedd hi'n falch bod Yvonne wrth ei hochr. Ei ffrind arbennig hi. Menyw arall. A doedd hi ddim wedi cael cyfle i dorri gair gyda hi eto. Roedd hi'n eithaf hoff o Yvonne; menyw ddiddig a rhadlon, ac er ei bod yn gwisgo'n dda a'i chroen yn ddifrycheulyd roedd hi'n blaen ac yn dew. Gŵyr Annwen fod Yvonne yn ffansïo Arwel hefyd, ond 'dyw hynny'n ddim cystadleuaeth.

"Shw mae'r plant?"

Mae'r cwestiwn yn ddigon diffuant, ond yn lle gwrando ar ateb Yvonne mae Annwen yn edrych ar y dynion. Mae Huw yn adrodd rhyw stori ddigri ac yn chwerthin am ben ei ddoniolwch ei hun; yn piffian chwerthin cyn iddo ddod i ergyd y jôc, yn achub y blaen ar y digrifwch bob tro. Beth sy'n bod ar y dyn? Ei fochgernau, ei groen pinc babïaidd, ei drwyn smwt. A dyna Paul wedyn. Tawel, dibersonoliaeth, yn cwato y tu ôl i'w fwstas bach du – beth sy'n mynd drwy ben rhywun fel'na? Pan ddywed Paul rywbeth does neb yn cymryd sylw, neb yn gwrando arno. Oes ots ganddo fe? Os oes, 'does ganddo fe ddim digon o asgwrn cefn i ddangos hynny.

Nawr, mae'n rhaid cyfaddef bod y bachgen – dyna i gyd yw e – Nigel yn bert, ond mae'n ifanc. Mae'n denau a'i groen yn llyfn a'i wallt yn drwchus a thywyll. Mae fel rhosyn newydd agor. Mae'r lleill yn rhosynnod sydd wedi colli'u siap a'u lliw, maen nhw wedi chwyddo, a'r dail yn dod yn rhydd.

"Dw i'n licio dy ffrog di," meddai Annwen, "a lle gest ti dy wallt wedi'i wneud?"

Mae Yvonne yn siarad ac mae'n hyfryd gwrando arni ond mae Annwen yn edrych ar Arwel. Beth oedd hi'n ei weld ynddo fel ei bod yn barod i glymu'i bywyd wrtho fe? Mae'i wallt yn britho ac mae'n denau. Beth am liw ei groen – does dim graen i liw ei groen nawr, mae'n llwyd ac yn felyn. Er ei fod wedi eillio mae'n dywyll o gwmpas ei ên, ei ruddiau, ac o dan ei drwyn. 'Dyw hi ddim wedi sylwi ar ei aeliau yn ddiweddar; maen nhw wedi mynd yn wyllt, fel perthi. A beth yw hwnna yn ei glustiau? Huddyg? Na, blew! Blew du, fel coedwig. Ych-a-fi. Dyw hi ddim wedi edrych ar y dyn ers amser. Beth yw'r ots, felly, os yw Yvonne a Nigel a Huw yn ei ffansïo?

"A ble gest ti'r clustdlysau 'na, Yvonne?"

Ond mae'n amlwg ei bod hi wedi'i ffansïo fe ar un adeg ond ei bod wedi dod mor gyfarwydd â'r peth nes ei bod wedi anghofio'n llwyr amdano. Beth oedd e? Ei wallt? Ei lygaid? Ei lais? Mae meddwl am eu dyddiau cynnar, eu 'carwriaeth' fel archeoleg nawr.

Yna daw'r gweinydd atyn nhw eto, gyda'r prif seigiau. A'r tro hwn gŵyr yn syth beth yn union sy'n wrthun ynglŷn â'r gweinydd hwn ac yn yr un eiliad cofia'r peth a'i denodd at ei gŵr. Cynffon y gweinydd sy'n ych-a-fi a chynffon ei gŵr fu'n gyfrifol am ei hudo. Rhyfedd fel mae rhywun yn cymryd cynffonnau pobl yn ganiataol. Dyna nhw yn ein dilyn ni i bobman a ninnau yn eu hanwybyddu nhw, bron. Rydyn ni'n eistedd arnyn nhw, yn codi pethau gyda nhw, yn eu siglo nhw wrth chwerthin, wrth gyfarch pobl, yn eu gostwng nhw mewn pwl o dristwch neu gywilydd. Ble basen ni hebddyn nhw yn wir? Ond er yr holl sioe rydyn ni'n ei gwneud ohonyn nhw rydyn ni'n anghofio am eu bodolaeth gan amlaf.

"On'd yw'r pysgodyn 'ma'n flasus?" meddai Yvonne.

Nawr, gan ei bod wedi meddwl am y peth ni all Annwen feddwl am ddim byd arall ond am gynffonnau pobl. Gŵyr ei bod yn anfoesgar i syllu ar gwt rhywun, felly, mae'n ceisio ymddangos yn ddifater. Ond dyna Yvonne, er enghraifft; mae'n amlwg ei bod yn falch o'i hun hi, neu ni fasai'n gwisgo'r holl gynffondlysau yna.

Cynffon dew, gochaidd sydd gan Huw ac mae'n ei chwifio hi ormod – fel'na mae'r hoywon. Mae'n wir bod y rhan fwyaf ohonom yn cael trafferth i reoli'n cynffonnau, ond dyw Huw ddim hyd yn oed yn ceisio ffrwyno'i un ef.

Cynffon lipa, ddi-sbonc sydd gan Paul, un flewog fel cefnau'i ddwylo a'i wddwg. Tasai hi'n wraig iddo basai hi'n ei anfon i un o'r dosbarthiadau yna sy'n hyfforddi pobl ar y ffordd iawn i ddal eu cynffon. Mae'n dod yn reddfol i'r rhan fwyaf ohonom, wrth gwrs, ond mae rhai yn gorfod cael gwersi er mwyn dysgu'r gelfyddyd.

'Dyw hi ddim eisiau edrych ar gynffon Nigel. Am un peth mae e'n siŵr o'i gweld oherwydd bydd yn rhaid iddi droi ei phen er mwyn cael cipolwg arno. Peth arall, mae rhywbeth ofnadwy o rywiol am gynffonau dynion ifainc sy'n peri iddi wrido, weithiau. Nawr, gan ei fod yn siarad ag Arwel ac wedi troi'i ben – un cipolwg, cyflym, cyfrwys. Dyna ni. A dyna'r broblem, bob tro mae e'n edrych ar Arwel mae'i gynffon yn codi ac yn symud yn gyflymach. Digywilydd. Dynion hoyw – i gyd yr un peth. Ond mae gan Nigel gynffon fach bert, serch hynny.

A nawr dyma'r gweinydd yn dod gyda'r troli teisennau ac wrth iddo droi i ddangos yr arlwy mae Annwen yn cael golwg ardderchog ar ei gwt. Ie, y ffordd araf yna o'i swingio sy'n codi'i gwrychyn hi, mor araf ac oeraidd. Ac mae'n gynffon hir iawn, un sy'n gorffen mewn pwynt hynod o bigog. Dywedai'i mam wrthi: "Paid byth â thrystio dyn 'a chwt sy'n dod i bwynt pigog", ac ychwanegu " 'nenwedig os oes blew du 'dag e ar yr ochrau'." Dyna fe. Blew du ar hyd yr ochrau.

Nawr, wrth i bawb ddechrau ar y pwdin mae hi'n cael cyfle i astudio cynffon Arwel heb dynnu sylw. Mae'n cofio nawr pam syrthiodd hi mewn cariad ag e. Mae'n gynffon mor bert, mor gymesur, mor dwt; blewog heb fod yn ych-a-fi, y blew yn addurno'r gynffon, fel petai. Does dim un gynffon debyg iddi yn y byd i gyd, a 'dyw e ddim wedi newid dim. A nawr mae Annwen yn teimlo ei hun yn symud braidd yn ddireolaeth.

"Yvonne," sibryda, "os wyt ti wedi cwpla dy bwdin beth am bicio draw i'r stafell ymbincio?"

"Syniad da."

Mae'r ddwy yn cywiro'u colur a'u minlliw o flaen y drych yn stafell y merched.

"Rhaid i mi roi caniad i Megan, rhag ofn bod y bechgyn wedi'i b'yta hi."

"Sylwaist ti ar y gweinydd 'na, Annwen?"

"Do. Rhywbeth od amdano fe, on'd oes? Anghynnes."

"Oes, mae 'na rywbeth," meddai Yvonne.

"Beth wyt ti'n meddwl yw e?"

"Yn bersonol dwi ddim yn licio'i *antennae.*"

Y Brenin Arthur

SWAMP THING GAN *THE GRID*, os ydw i'n cofio'n iawn, oedd yn llenwi'r awyr a'r coed ac yn dychryn y defaid yn y caeau o gwmpas y ffermdy mawr pan gyrhaeddodd Siwsi a minnau y noson boeth o haf honno. Yn yr ardd o amgylch y tŷ roedd pobl – y rhan fwyaf ohonynt yn eu harddegau ond wedi'u gwisgo i ymddangos yn hŷn – yn lolian, yn gorwedd, yn eistedd, yn dawnsio ac yn yfed mewn grwpiau. Yn sefyll wrth borth yr estyniad newydd yn dosbarthu cwpaneidiau gwydr o *punch* pinc fel morwyn yr Orsedd yn rhannu'i ffrwythau o'i chorn hirlas yr oedd Ceridwen. Roedd hi'n gwisgo ffrog hir, laes, las, a'i gwallt oren ar ei phen yn ymdebygu i'r cwmwl a welir ar ôl ffrwydrad atomig.

"Siwsi! Eifion!?"gwaeddodd wrth ein gweld ni. "Croeso! Croeso. Dewch i gael 'maid bach o'r pwnsh 'ma. Mae'n flasus iawn."

Yn amlwg bu Ceridwen yn blasu'r cymysgedd lliwgar ers tipyn.

"Mae'r estyniad yn wych, Ceridwen, llwyddiant ysgubol."

Gwyddai Siwsi mai dyna'r union eiriau yr oedd Ceridwen yn dymuno'u clywed, waeth mai parti i ddathlu'r estyniad newydd oedd hwn. Roedd Ceridwen wrth ei bodd.

Cymerodd Siwsi'i gwydryn ac aeth i mewn i'r tŷ lle cafodd

ei hamgylchynu gan bobl.

"Dw i'n falch dy fod ti wedi dod â Siwsi," meddai Ceridwen, "mae hi mor boblogaidd, bob amser yn llwyddiant mewn parti."

Roedd hynny'n wir. Edrychai'i hedmygwyr fel sgrym o'i chwmpas neu haid o fleiddiaid o gwmpas eu prae. Bechgyn a dynion ifainc oedd y rhan fwyaf ohonynt ond roedd rhai o gyfeillion Siwsi yn ferched hefyd.

"Ie, mae pawb yn licio Siwsi," meddwn i wrth Ceridwen.

"Mae personoliaeth hyfryd 'da hi," meddai Ceridwen gan bysgota am ddarn o binafal yn ei phair gyda'i hewinedd coch.

" 'Fallai fod a wnelo'r ffaith ei bod hi'n fyr ac yn blond ac yn bert rywbeth â'r peth, hefyd," meddwn i.

"Eifion! 'Dwyt ti byth yn cenfigennu at boblogrwydd dy chwaer, siawns?"

Atebais i ddim ond roedd Ceridwen wedi taro'r hoelen ar ei phen. Peth hawdd i Siwsi oedd cymdeithasu. Doedd dim rhaid iddi ymdrechu o gwbl. Roedd pobl eisiau cwrdd â hi tra nad oedd neb yn ymwybodol o'm presenoldeb i. Hyd yn oed ar ôl iddynt gwrdd â mi dairgwaith 'doedd rhai pobl ddim yn f'adnabod. Teimlwn weithiau fel petawn i'n cerdded â bag papur dros fy mhen.

"Rwyt ti'n lwcus bod chwaer 'da ti," meddai Ceridwen. "Meddylia amdana i. Saith o feibion a dim un ferch. Basai 'y meibion i wedi dwlu ar chwaer fach."

Hwyrach mai am iddynt fod yn ddichwiorydd yn blant yr oedd meibion Ceridwen nawr mor hynod o hoff o ferched, meddyliwn i.

"Carl!" gweiddodd Ceridwen ar un o'r meibion hyn, "dw

i wedi blino ar y miwsig 'ma. Mae tapiau 'Plethyn' yn y gegin."

Aeth Ceridwen i ffwrdd ac es i am dro i gymysgu gyda'r gwesteion eraill. Crwydrais o gwmpas y ffermdy, o stafell i stafell. Roedd y rhan fwyaf o bobl yn y gegin, rhai yn llwytho platiau papur â bwyd wrth y ford. Gwelodd Ceridwen fy mod yn llygadu'r danteithion a gwaeddodd dros y stafell:

"Helpa dy hun i'r bwrddwest – *quiche, pasta, pizza, paté, vol aux vents* neu *vols au vent,* dw i ddim yn gwbod – dim byd Cymreig, ta beth. Ac maen nhw'n coginio cig a selsig llysieuol ar y bar-bi-ciw yn yr ardd, rywle."

Ond a gweud y gwir, doeddwn i ddim yn ffansïo'r bwyd o'r 'bwrddwest' oedd ar ôl. Arnofiai sigarét mewn bowlen o *coleslaw.* Felly sipiais y pwnsh o'r gwydryn yn fy llaw a mynd ma's i'r ardd eto.

Dynesais at griw o ferched yn eu harddegau yn smygu'n rhodresgar.

"Hylô," meddwn i.

"Hylô," medden nhw gan giglan.

"Smo ti'n perthyn i Harri a Joan Lloyd?" gofynnais i un ohonyn nhw.

"Nac ydw," atebodd y ferch yn surbwch.

"Camsyniad," meddwn i gan symud i ffwrdd.

Gallwn glywed y merched yn hwtian chwerthin ar fy mhen wrth i mi gilio bant yn llechwraidd.

Ymunais â chriw arall, un cymysg y tro hwn, bechgyn a merched.

"Hylô. Brawd Siwsi ydw i."

"Hylô."

“Chi’n mwynhau’ch hunain ’ma heno?”

“Ydyn.”

Tawelwch. Doedden nhw ddim yn mynd i siarad eto nes i mi symud i ffwrdd a gadael llonydd iddyn nhw. Symudais i ffwrdd.

Y broblem oedd bod y bobl ifainc hyn yn gweld hen ddyn canol oed ar ei ben ei hun yn symud tuag atynt ac yn ceisio ymuno yn eu hwyl fel bygythiad i’r hwyl honno. Roedd y gwahaniaeth oedran yn wal ddiadlam. Ond doedd neb arall yn y parti yn agos i’m hoedran i, hyd y gallwn weld, ac eithrio Ceridwen (a oedd yn hŷn, beth bynnag) ac yn rhinwedd ei swydd fel Eu Mam Nhw Oll doedd dim disgwyl iddi hi fy nifyrru i yn unig. Ac roedd fy chwaer fach wedi diflannu, wedi’i meddiannu gan ei haddolwyr, mae’n debyg.

Yna daeth ffigwr ataf yn gwisgo siwmper bara blawd cyflawn. Roedd e’n hŷn na’r gwesteion eraill ond yn iau na mi a phlorynnod coch poenus ar ei war ac o gwmpas ei geg a’i drwyn a sbectol gron, gwydrau trwchus.

“Ew! Eifion ’chan! Shwt wyt ti ers llawer dydd,” meddai gan afael yn fy llaw a dechrau pwmpio fy mraich yn rhyfeddol o egnïol am un mor eiddil yr olwg.

“Da iawn,” meddwn i wrtho.

“Ti’n y ’nghofio i on’d wyt ti? Mab Jaco Thomas!”

“Wrth gwrs. Shw mae dy dad?”

“Lot gwell, diolch…”

“A shw mae…?”

“Lowri?”

“Ie, shw mae Lowri?”

“ ’Dyn ni wedi cwpla ’da’n gilydd.”

"O, mae'n flin 'da fi."

"Wel, doedd dim byd arall amdani."

"Ac wyt ti'n gweithio nawr?"

"Ydw, yn yr un lle."

"Yr un lle."

"Ie'r cwmni 'press cuttings'."

"Wrth gwrs," meddwn i.

Nawr fe deimlwn fel y teimlai'r bobl ifainc wrth iddyn nhw fy ngweld i'n ceisio ymuno â nhw heb wahoddiad. Doedd gen i ddim syniad pwy oedd y dyn hwn, na phwy oedd Jaco Thomas ei dad. Chwarter awr yn ddiweddarach fe lwyddais i ymddihatru oddi wrtho pan aeth i'r gegin at y bwrddwest am ragor o fwyd a diod pwnsh. Achubais ar y cyfle i ddianc cyn iddo ddychwelyd.

Doedd dim byd amdani, felly, ond mynd am dro. Roedd digon o le i fynd. Prynasai Ceridwen nid yn unig y ffermdy ond y fferm a rhai o'r caeau cyfagos, er nad oedd hi'n ffermio o gwbl. Roedd digon o waith ganddi hi i reoli'i busnes crefftau gwledig ei hun. Roedd hi'n 'dwlu' ar gefn gwlad, felly roedd hi wedi prynu cymaint ohoni ag y gallai.

Cerddais a cherddais nes i mi ddod at ffens. Roeddwn i'n pwyso yn erbyn y ffens hon, yn yfed y pwnsh ac yn edrych dros y bryniau, yn ceisio amcangyfrif pa mor hir y parhâi'r parti pan glywais sŵn rhywun yn pesychu. Yn pwyso yn erbyn yr un ffens yn edrych dros yr un bryniau roedd dyn bach main a chanddo farf laes, *anorak* gwyrdd a sbectol â fframiau plastig du iddynt.

"Noswaith dda." Y dieithryn oedd y cyntaf i dorri'r garw. "Mae'n braf cael dod lawr o'r hen barti swnllyd 'na a gadael y pethau ifainc a chymuno â natur, on'd yw hi?"

"Ydy."

Wyddwn i ddim pwy oedd y dyn, ond roedd Ceridwen yn casglu creaduriaid od.

"Wyddoch chi be'?" meddai fe. "Pan dw i'n teimlo'n ddigalon dw i'n licio mynd at y defaid i siarad â nhw. Pethau heddychlon, tawel yw defaid."

"Ydych chi'n ddigalon, felly?"

"Wrth gwrs 'y mod i."

"Pam 'wrth gwrs'?"

"Wel, dw i ddim yn perthyn 'ma."

"Fel'na dw i'n teimlo hefyd. Mae'r bobl ifainc 'ma yn edrych arna i fel anghenfil."

"Nace am y bobl ifainc dw i'n sôn ond *yma,* dw i ddim i fod *yma* wrth reit."

"Be'? Tresmasu ar dir Ceridwen 'ych chi, iefe?"

"Nace, nace. Dw i ddim yn un ohonoch chi."

"Be'? Ddim i fod yn y parti? Neu ddim yn Gymro?"

"Cymro! Wrth gwrs 'mod i'n blydi Cymro."

Roedd golwg wyllt a blin arno. Rhywsut neu'i gilydd roeddwn i wedi'i dramgwyddo. Edrychais ar y blewiach llac a phrin o gwmpas ei wyneb, yn chwifio yn yr awel hafaidd ysgafn, gallwn i weld drwy'i farf.

"Fi yw'r Cymro gorau oll," meddai gan ychwanegu yn gyfrifnachol, "y fi yw Cymro'r Cymry. Y fi," meddai gan wyro yn nes ataf mewn ystum cynllwyngar, "y fi yw'r Brenin Arthur."

"Y Brenin Arthur?"

"Dw i ddim yn synnu dy fod ti'n synnu, mae pawb yn

synnu – dw i'n synnu fy hunan, weithiau. Ond mae'n wir. Do'n i ddim eisiau bod yn frenin, yn enwedig y Brenin Arthur gyda'r cyfrifoldeb arswydus o orfod achub y Cymry, nac o'n?"

Mae hwn, meddyliwn i, yn foncyrs, honco, hanner pan, heb fod ymhen draw'r ffwrn, mae'r golau ymlaen a neb yn nhref, sillaf yn brin o fod yn englyn.

" 'Ych chi'n meddwl 'mod i off fy mhen on'd 'ych chi? Meddwl 'mod i wedi colli 'mhwyll, meddwl nad ydw i'n llawn llathen, on'd 'ych chi? Peidiwch â gwadu fe, dw i'n gallu darllen eich meddwl. Telepathi."

"Telepathi?"

"Y gallu i ddarllen meddyliau pobl a'r gallu i gysylltu â phobl a chreaduriaid sydd yn bell i ffwrdd mewn amser a gofod."

"Pobl a chreaduriaid?" ebychais heb geisio cuddio f'anghrediniaeth

"Pobl a chreaduriaid. Creaduriaid fel yr Yeti sy'n byw yn yr Himalayas, er enghraifft."

"A beth, os ga' i fod mor hy â gofyn, y mae'r Yeti yn ei ddweud wrthoch chi?"

"O, creadur dymunol iawn yw'r Yeti – neu greaduriaid, yn hytrach, gan fod tylwyth ohonyn nhw, mewn gwirionedd. Ond mae ganddyn nhw'u Brenin, wel Llywydd yn hytrach, a dw i'n siarad â honno yn amlach na'r lleill."

"Honno?"

"Ie. Maen nhw'n flaengar iawn. Dim rhywiaetholdeb ffalogoganolog ymhlith yr Yeti, ac o ganlyniad dim ffraeo, dim rhyfela. Creaduriaid doeth a swil yw'r Yeti, 'na pam maen nhw'n osgoi dynion, chi'n gweld?"

"Dw i'n gweld," meddwn i gan geisio meddwl am ffordd i ymadael â'r gŵr hynod o frawychus hwn a mynd yn ôl i'r tŷ am ragor o bynsh.

"Peidiwch â mynd 'nôl i'r parti," meddai'r dieithryn. "Hoffech chi glywed, yn wir, beth mae'r Yeti'n ei ddweud wrtho i?"

"Hoffwn," meddwn i gan ofni sathru ar ei deimladau.

"Maen nhw'n dweud wrtho i sut i ddehongli'r cylchoedd yn yr ŷd. Chi wedi gweld lluniau ar y teledu o'r cylchoedd rhyfedd sy'n ymddangos mewn caeau ŷd o bryd i'w gilydd? Wel, negeseuon o'r gofod sy'n dod ar hyd belydrau sy'n cael eu taflunio i lawr ar y caeau yw'r cylchoedd a'r patrymau 'na. Wel does neb yn gallu darllen y patrymau a'r symbolau hyn ond yr Yeti."

"Ac mae'r Yeti yn cyfieithu'r negeseuon hyn ac yn eu trosglwyddo i chi drwy delepathi."

"Yn gwmws. Chi'n dechrau 'y neall i nawr, on'd 'ych chi?"

"Ydw," meddwn i yn sinigaidd. "A beth yw byrdwn y negeseuon hyn?"

"Wiw i mi ddweud wrthoch chi. Gallai'r wybodaeth honno beryglu'ch bywyd. Ond, chi'n gw'bod lle mae'r rhan fwyaf o'r patrymau hyn yn ymddangos, on'd 'ych chi? Ie, o gwmpas Stonehenge – Côr y Cewri. Mae'r negeseuon hyn wedi bod yn cael eu taflunio o'r gofod ers oes y Celtiaid cynnar a gludodd y cerrig mawr 'na o Ddyfed i'w safle presennol. Codwyd cylchoedd cerrig fel Côr y Cewri ac Avebury ar borfeydd lle'r oedd cylchoedd wedi ymddangos."

"Dw i'n gweld," meddwn i a rhywsut neu'i gilydd roedd

y dyn anhygoel hwn yn dechrau llwyddo i'm hargyhoeddi.

"Fel y Brenin Arthur mewn bywyd blaenorol, wrth gwrs, gallwn i ddarllen y symbolau 'na yn y gwair fy hunan, yn uniongyrchol a heb gymorth neb arall. Ond pan ges i fy aileni yma yng Nghymru, dro yn ôl, doedd hi ddim mor hawdd i mi bicio draw i weld y cylchoedd yn swydd Wiltshire i'w darllen. Ond dyma'r Yeti yn cynnig eu cymorth i mi drwy delepathi."

"Ydy'r negeseuon diweddaraf 'ma yn golygu bod y byd ar fin dod i ben, neu bod dyn yn mynd i'w ddifetha ei hun?"

"Basai dyn yn sicr o'i ddifetha'i hun, afraid dweud – oni bai amdana i. Dyna 'y ngwaith i. Achub y byd. Ond dw i wedi neud hynny ddwywaith o'r blaen, wrth gwrs."

Roedd e'n hoff iawn o'r geiriau 'wrth gwrs'. Oedodd i weld effaith ei ddatganiad arnaf.

"Pryd yn union. Wnewch chi f'atgoffa?"

"Chi ddim yn cofio? Rhag eich cywilydd chi. Unwaith fel y Brenin Arthur ac unwaith fel Twm Siôn Cati, wrth gwrs."

"Chi oedd Twm Siôn Cati mewn bywyd gynt a'r Brenin Arthur. Mewn geiriau eraill Twm Siôn Cati oedd y Brenin Arthur."

"Neu'r Brenin Arthur oedd Twm Siôn Cati, os liciwch chi. Fi oedd Owain Glyndŵr hefyd a Llywelyn Fawr a sawl un arall. O, ie, Shakespeare a Iolo Morgannwg, y fi oedden nhw hefyd."

"Ie, wir."

"D'ych chi ddim yn 'y nghredu i, nac 'ych chi?"

Doedd dim rhaid i mi ddweud dim; gwyddwn fod fy

wyneb yn dweud y cyfan.

"Hoffech chi wybod pryd daw'r byd i ben?" gofynnodd y dieithryn.

"Hoffwn," meddwn i; wedi'r cyfan gallwn i fy mharatoi fy hunan wedyn.

"Alla i ddim dweud wrthoch chi pryd daw'r ddynoliaeth na'r ddaear i ben, ond mae mwy nag un diwedd y byd on'd oes?"

"Beth 'ych chi'n 'feddwl?"

"Wel, bob tro mae unigolyn yn marw mae'i fyd yn dod i ben. Diwedd y byd i chi yw'ch marwolaeth chi, ontefe?

"Mewn ffordd, mae'n debyg."

"Dim mewn ffordd o gwbl; dyna'r diwedd cyn belled â'ch bod chi yn y cwestiwn. Wel, gadewch i mi ddweud wrthoch chi, pan welwch chi groes o fewn cylch bydd eich byd bach chi yn gorffen yn fuan wedyn."

"Wel diolch yn fawr i chi am eich cwmni," meddwn i (wedi cael hen ddigon) ac ar hynny cerddais yn ôl at y tŷ gan adael y gwallgofddyn yn pwyso yn erbyn y ffens.

Wrth i mi gerdded yn ôl sylweddolais ei bod hi wedi nosi a'i bod yn oerach ac yn dywyllach a bod gwybed yn yr awyr. Pan gyrhaeddais y tŷ gwelais fod y rhan fwyaf o'r bobl ifainc wedi mynd. Roedd Ceridwen a Siwsi yn eistedd ar fainc ar y lawnt yn sugno pelydrau aur olaf yr haul ac yn dal gwydrau gwin yn eu dwylo.

"Eifion!" gwaeddodd fy chwaer, "ble fuost ti? 'Dyn ni wedi bod yn chwilio amdanat ti. A gweud y gwir, o'n i ar fin mynd hebddot ti. Dw i wedi ffonio am dacsi."

"Dw i wedi bod yn siarad ag un o ffrindiau Ceridwen

lawr wrth y ffens 'na. Dyn diddorol iawn, ond od, beth yw ei enw?"

"Am bwy wyt ti'n siarad, Eifion?"

"Y dyn bach 'na 'da'r farf a'r *anorak*. Meddwl ei fod yn Shakespeare a'r Brenin Arthur."

"Swnio fel rhywun sy wedi dianc o rywle," meddai Siwsi. "Neu wyt ti'n siarad dwli, Eifion? Dw i byth yn siŵr 'da ti. On'd yw'r llenorion 'ma'n siarad lot o rwtsh o hyd, Ceridwen?"

"Un o ffrindiau'r meibion, 'fallai. Mae cymaint o bobl ddieithr wedi bod 'ma heno, mae'n amhosib gw'bod pwy 'yn nhw i gyd."

Aethon ni i'r tŷ i chwilio am het Siwsi.

"Bydd rhaid i mi daflu gweddillion y pynsh 'ma," meddai Ceridwen.

Ac yna dangosodd y fowlen i mi.

"Disgwyl ar y ffrwythau ar y gwaelod," meddai, "maen nhw wedi ffurfio siâp croes."

Y Ffrae

MAE'N WYTH NEU NAW MLYNEDD ers i Ceri a Cris dorri gair o Gymraeg gyda'i gilydd. Wyth neu naw mlynedd o ddistawrwydd pur a llethol yn eu cartref perffaith-gymen. Sŵn y setiau teledu yn y lolfa a llofft Cris a llofft Ceri, sŵn y chwaraeydd disgiau, sŵn y ffôn yn canu weithiau, sŵn clic-clic-cliciti-clic-clic allweddell y prosesydd geiriau, y we yn awgrymu'r byd tu allan, yr e-pistolau yn dod â negeseuon o'r byd hwnnw atyn nhw. Ond rhwng Cris a Ceri – dim Cymraeg.

Beth oedd asgwrn y gynnen? Pwy a ŵyr nawr? Claddwyd yr asgwrn hwnnw gan labrador amser mewn cornel o bridd yng ngardd tragwyddoldeb.

Ond nid yw'n llythrennol gywir i ddweud nad oedd Cymraeg rhyngddyn nhw o gwbl. Er ei bod yn bawb at ei letis a'i pasta ei hun yn nhref Ceri a Cris cyfathrebent â'i gilydd ar ffurf llythyron a nodiadau ysgrifenedig. Peth anodd iddyn nhw oedd hynny gan eu bod yn blant seiberfyd a buasai'n haws ganddynt anfon e-pistolau at ei gilydd, ond nid oedd hynny yn ymarferol dan yr un to. Roedd hi'n rhwyddach, er enghraifft, i Cris adael nodyn yn y gegin yn dweud: 'Annwyl C, wedi mynd i loncian, cofion C' nag anfon e-pistol, dyn a ŵyr pryd y byddai Ceri yn casglu'i negeseuon.

Âi Cris i loncian bob bore wedi brecwasta ar ffrwchnedd a bran a sudd oren, yna rhedai nerth ei *Guccis* gyda'r nod o fod yn gorfforol barod ar gyfer marathon y mileniwm nesa.

Dro yn ôl collasai Ceri'i swydd werthfawr a phwysig. Ni allai godi yn y bore. Treuliai'r dyddiau'n syllu ar sgrîn y cyfrifiadur yn chwilio am swydd arall er mwyn ennill ei salad beunyddiol neu'n gwylio rhaglenni Vanessa, Kilroy, Jerry Springer, Rikki Lake, Dale's Supermarket Sweep, Fifteen to One, Countdown, Montel Williams ac yn newid sianel gyda'r botwmgalw bob tro y gwelai'r newyddion yn crybwyll Cosofo, Irac, Yemen, Libya. Dim cyfrifoldeb. Dim diddordeb. Diwedd y byd ar y gorwel, y mileniwm newydd yn fileniwm olaf dynoliaeth, efallai, ac unig ddiddordeb Ceri oedd sut i gynnal safon byw i gyd-fynd â delweddau'i hoff gylchgronau *Elle Decoration, Wallpaper, Gardens Illustrated* a *Food Illustrated*.

Er bod yr iaith Gymraeg yn hollol farw erbyn hyn, gan wireddu proffwydi'i thranc erbyn diwedd yr ugeinfed ganrif – arweinydd Plaid Cymru wedi troi'n uniaith Saesneg, Cymdeithas yr Iaith yn cynnal gweithgareddau drwy gyfrwng y Saesneg yn unig, arweinydd y Cynulliad newydd yn methu treiglo i achub ei fywyd – er gwaethaf hyn i gyd ac er gwaethaf eu ffordd o fyw daliai Cris a Ceri i sgrifennu at ei gilydd drwy gyfrwng y Gymraeg am ryw reswm Caniwtaidd. 'Annwyl C' – er gwaethaf y diffyg anwyldeb tuag at ei gilydd – 'rwy'n mynd i'r pentre i gael y cylchgronau ac i brynu *taramasalata,* cofion C!' 'Annwyl C, rwy'n mynd i ffwrdd am bythefnos cofia fwydo Gaia, cofion C'. Ti a thithau o hyd er gwaetha'r oerni emosiynol. Gaia oedd yr anifail anwes, y gath Abysiniaidd, eu hanwylyd a addolid fel yr addolid Bast gan yr Eifftiaid; oni bai amdani hi go brin y byddai Ceri a Cris wedi aros gyda'i gilydd o dan yr unto.

Ond ni allai'r sefyllfa hon barhau am byth. Roedd elusengarwch ac amynedd Cris yn prinhau fel penwaig o dan drwyn Gaia. Cribai Ceri'r we a'r papurau am swyddi bob dydd. Bob wythnos anfonai amlenni gwynion sgleiniog at wahanol gwmnïau yn cynnwys ei CV a'r ffurflenni cais. Ni ddeuai'r un ateb ffafriol. Anfonodd nodyn o anobaith at Cris. 'Annwyl C, beth sy'n bod arna' i? C.' Daeth yr ateb diflewyn-ar-dudalen 'Annwyl C, ti'n rhy hen, efallai, C.'

Ond dyfal donc a dyr y chwarel anweledig a diadlam rhwng y canol oed hŷn a swyddi breision a gwerthfawr. 'Annwyl C, mae 'da fi gyfweliad wythnos nesa! Dw i ar y rhestr fer. O'r diwedd dyma fy nghyfle, C.' 'Annwyl C, gwych o beth. Dw i mor falch, C.'

Yn ystod y cyfnod hir ac estynedig hwn o segurdod bu Ceri'n gyfrwng derbyn iaith yn unig, yn llestr i eiriau pobl eraill – y we ac e-pistolau, nodiadau Cris, sêr y teledu boreol a phrynhawnol a fideos y nosweithiau. Rhag ofn i'r tafod fel organ lleferydd sychu'n grimp arferai Ceri siarad â'r gath Abysiniaidd.

"Dw i ar y clwt Gaia annwyl yn bedwar deg tri ac ar y domen sbwriel yn barod, yn rhy hen i gael gwaith, yn rhy ifanc i ymddeol. Dim teulu, dim plant dim cariadon, dim ond ti a Cris – sy'n 'y nhrin i fel y planhigyn rwber 'na. A dw i eisiau dillad newydd a char arall, Mercedes lliw arian, a chelfi a thapiau dŵr euraid, a jyst mynd i siopa a gwario, gwario, gwario."

Ymateb y gath snobyddlyd oedd troi'i phen cystal â dweud, 'creadur gwirion'. A phan gafodd Ceri'r llythyr ynglŷn â'r cyfweliad cododd Gaia a sibrwd yn ei chlust, "Dwi'n mynd i gael y swydd 'ma a chei di goler newydd 'da diamwntau go-iawn arno. Dw i'n mynd i wisgo'r siwt Thierry Muegler 'na, mae'n hen ond mae'r ansawdd yn dda. *Power dressing*, Gaia, 'na sut i gael swydd!"

Caeodd y gath ei llygaid gan ei thaflunio'i hun yn ôl i oes y Pharoaid, lle roedd hi'n rhydd i ddal llygod mawr.

Nawr, yn ystod ei segurdod hir datblygodd Ceri nifer o dueddiadau nerfus. Ni allai oddef unrhyw sŵn sydyn annisgwyl, ni allai adael y tŷ heb ddefod hir o sicrhau bod y drws wedi'i gloi saith o weithiau. Roedd y rhif saith, am ryw reswm o ddirfawr bwys i Ceri. Defnyddiai saith gwahanol fath o sebon, o saith lliw gwahanol, wrth ymolchi yn y bore. Rhaid troi o gwmpas saith gwaith cyn mynd allan drwy'r glwyd i'r byd. Rhaid cario saith neished lân bob amser a saith ysgrifbin a saith copi o bob un o allweddi'r tŷ. Pan ddaeth y noson cyn diwrnod mawr y cyfweliad dododd Ceri'i siwt Thierry Muegler yn barod a bathodyn ar siâp cath Abysiniaidd mewn *diamante* ar y lapel am lwc. Ond dyma broblem. Sut i ddihuno a deffro mewn da bryd – am saith o'r gloch? Ni allai osod cloc larwm neu fe fyddai'i nerfau'n rhacs cyn cyrraedd y cyfweliad. Doedd dim dewis ond gofyn i Cris. 'Annwyl C, mae'r cyfweliad yfory, fel ti'n gwbod. A ti'n gwbod hefyd am y drafferth dw i'n ei chael i gwnnu yn y bore ar ôl bod cyhyd heb reswm i gwnnu. Wnei di alw arna i am saith bore fory cyn i ti fynd i'r swyddfa? Cofion cynnes, C'. Daeth ateb dros y ford. 'Annwyl C, wrth gwrs, dim problem. Galwa i arnat ti fory am saith. Cofion C. O N Pob lwc yfory.'

Dihunodd Ceri o gwsg rhwyfus a breuddwydion annifyr gyda theimlad ofnus yn ei stumog. Iesgob! Bore'r cyfweliad. O'r diwedd. Yna edrychodd Ceri ar y cloc digidol ar y ford erchwyn gwely, yna edrychodd i fyw llygaid melyn difater Gaia a fu'n cysgu ar wely Ceri. Roedd hi'n hanner awr wedi un ar ddeg yn y bore. Yna sylwodd Ceri ar ddarn o bapur. Ar y gobennydd oedd nodyn wedi'i sgrifennu mewn inc coch, 'Annwyl C, mae'n saith o'r gloch! Amser cwnnu! Pob lwc, Cxxx!'

Y Pentref

Y BORE HWNNW fe deimlai Mr Morris fod yr haul hydrefol yn gafael yn ei law ac yn ei dynnu o'i dŷ. Caeodd y drws i'w fwthyn a chamu allan i gyfarch y dydd.

Gwelodd ei gymdogion drws nesaf. Saeson hynaws, canol oed cynnar, ôl y chwedegau a'r saithdegau yn glynu wrthynt yn gyndyn. Cododd ei law a gwenu arnynt. Gwenodd y ddau yn gyfeillgar.

Yn dod allan o'r tŷ mawr cyferbyn gwelodd Mrs Prosser. Gwenodd arni a gwenodd hithau. Wrth iddo gerdded i'r pentre pasiodd ambell gymydog yn ei gar gan hwtio'n siriol arno.

Croesodd y bont a dyna lle'r oedd Mr a Mrs Price yn eu gardd – efe'n lladd gwair y lawnt ddifrycheulyd, hyhi yn chwistrellu'r rhosynnod gyda dŵr sebonllyd.

"Mae'ch gardd chi'n hyfryd y bore 'ma," meddai Mr Morris wrthyn nhw. "Diolch yn fawr Mr Morris. Mae'n fore ardderchog, on'd yw hi?"

Galwodd Mr Morris yn y siop fach, dim ond i brynu stampiau. Mr a Mrs Inchling oedd yn cadw'r lle. Mor barod oedden nhw gyda'u 'Shw mae' eu 'bore da' a'u 'diolch yn fawr' er nad oedd eu Cymraeg yn rhyw sicr iawn. Dywedodd Mrs Inchling fod yr haul annisgwyl o ddiweddar i'w groesawu gan ei fod yn torri hyd y gaeaf.

Wrth iddo ddod allan o'r siop edrychodd ar y lawnt yng nghanol y pentre, y 'patsyn glas', mor anghyffredin yng Nghymru, a oedd yn cynysgaeddu'r lle â naws henffasiwn, yn enwedig gyda'r ddwy dafarn wrth ochr ei gilydd, y Brenin a'r Frenhines yn gwarchod ei lesni.

Sylwodd fod criw o ddynion y pentre yn codi rhyw fframwaith o bren ar ganol y patsyn glas. Cododd ei law arnyn nhw ac fe atebwyd ei gyfarchiad yn llawen.

Cerddodd i fyny'r twyn gan amneidio a gwenu ar ei gyd-bentrefwyr eraill wrth fynd heibio i'w tai a'u gerddi.

Y bore hwnnw roedd y siop fawr yn llawn pobl a'r rhan fwyaf ohonyn nhw'n siarad Cymraeg.

Cafodd air gyda Beti wrth iddo gymryd basged o ben y pentwr. Clonciodd gyda Mrs Gibbon wrth y silffoedd papurau a chylchgronau. Dewisodd ei gaws a'i laeth ar yr un pryd â Mr Evans a'i holi ynglŷn â'i iechyd. Ar wahân i'w ddwylo roedd e'n cael problemau gyda'i lygaid. Trafododd yr arlwy o fwydydd wedi'u rhewi gyda Sheila a Mike. Wrth y pacedi pasta a reis gwelodd Martyn a stopio i gael clonc gyda hwnnw. Troes y gornel at y tuniau a dyna lle'r oedd Megan, Alis a John Harris, Tynycoed. Bu'n hel clecs gyda nhw am ryw chwarter awr cyn symud ymlaen at y te a'r coffi lle cyfarfu â Mr Owen a Glyn wedyn wrth y poteli o ddiodydd.

Pan aeth i dalu roedd hi fel ffair gyda'r holl gymdogion o'i gwmpas yn cyfnewid cyfarchion, gwybodaeth, newyddion, clecs ac yn siarad fel melinau gwynt.

Cododd ei gopi o bapur bro'r pentre o'r cownter a'i ychwanegu at ei neges. Roedd Siwsan wrth y til yn llawn bywyd, fel arfer; eisiau gwybod am ei ardd a'i gath a'i gydweithwyr; yn ei holi ac yn mynd drwy'i fasged mor gyflym.

Dywedodd "Hwyl" wrth sawl cymydog a gadael y siop fawr. Cerddodd i lawr y twyn. Pan gyrhaeddodd y patsyn glas gwelodd taw cyffion oedd y fframwaith y bu'r dynion yn gweithio arno. Camodd ar draws y borfa i gael golwg ar y ddyfais.

"Beth yn y byd yw hwn? Rhywbeth ar gyfer y carnifal? Peth henffasiwn ontefe?" gofynnodd Mr Morris.

Yn sydyn gafaelodd dau neu dri o'r dynion yn ei freichiau. Cymerwyd ei fag a'i negeseuon oddi wrtho.

"Nawr 'te, nawr 'te, bois," meddai gan chwerthin ac ymuno yn y jôc.

Y peth nesaf roedd ei ben a'i freichiau drwy'r tyllau ac fe gaewyd yr estyll arno. Teimlai'n bur anghyfforddus. Edrychodd i fyny a gweld fod y pentrefwyr i gyd yn sefyll o'i flaen ar y patsyn glas; y Saeson drws sesaf, Mrs Prosser, Mr a Mrs Price, Mr a Mrs Inchling o'r siop fach, Beti a Siwsan o'r siop fawr, Mrs Gibbon, hen Mr Evans, Sheila a Mike, Martyn, Megan, Alis a John Harris, Tynycoed, Mr Owen, Glyn a llawer o drigolion eraill y pentre nad oedd Mr Morris yn eu nabod wrth eu henwau eithr wrth eu golwg yn unig, a holl blant a chŵn yr ardal.

Edrychodd ar y wal o wynebau. Dim smic o wên ar yr un ohonyn nhw. "Be' sy'n bod? Be' dw i wedi 'neud? Gadewch i mi fynd nawr, mae'r jôc 'ma wedi mynd yn rhy bell yn barod."

Ar hynny cododd pawb yn y dorf rywbeth yn ei law

a'i daflu at Mr Morris. Glawiodd hen wyau, llysiau wedi pydru, tatws meddal, sbwriel, baw a phob math o fryntni ar ben Mr Morris. Roedd rhai o'r eitemau yn ei daro gydag ergyd ac yn ei frifo. Daeth mwy a mwy o bethau: cenllysg o rwtsh, yn gyflymach ac yn galetach wrth i'r dorf fynd i hwyl a dechrau gwylltio.

Peidiodd y trawiadau yn sydyn a chlywodd Mr Morris drwy'r domen ar ei ben sibrydion yn lledaenu ymysg y gynulleidfa.

"Be' dw i wedi 'neud?" gwaeddodd Mr Morris yn druenus.

"Pwy sy'n mynd i'w 'neud e?" oedd y geiriau a sibrydid.

"Beth am Mr Evans," meddai un. "Fe yw'r hynaf yn y pentre."

"Ie, Mr Evans, Mr Evans. Dewch 'mlaen, Mr Evans, chi sy'n cael y fraint."

Teimlai Mr Morris rywrai yn clirio'r sothach oddi ar ei ben a'i lygaid. Edrychodd lan a gweld Mr Evans yn sefyll wrth ochr y cyffion â bwyell yn ei law.

"Na! Na!, Mr Evans! Dw i'n erfyn arnoch chi. Gadewch i mi fynd. Be' dw i wedi 'neud?"

Syrthiodd llafn y fwyall ar war Mr Morris a thorrwyd ei ben i ffwrdd yn glir ag un ergyd. Tipyn o gamp o gofio oedran Mr Evans.

Yr Aderyn

PAN GERDDAIS I'R GEGIN i gael fy mrecwast arferol: hanner grawnffrwyth (heb siwgr), tost, menyn, wy wedi berwi (yn galed) a choffi (heb laeth, heb siwgr), a minnau newydd gael cawod, a'm gwallt yn dal yn wlyb, a'm gruddiau a'm gwddwg wedi'u heillio'n binc, cefais fraw o weld bod aderyn anferth yno, yn y gegin. Daethai drwy'r ffenest, mae'n debyg, gan y gadawswn honno ar agor y noson cynt gan fod y tywydd mor boeth. Ond sut y daethai'r ffordd honno dwn i ddim gan ei fod yn dalach na fi (a finnau'n chwe throedfedd) yn sefyll yno ar lawr y gegin. Ni allwn ddweud pa fath o aderyn ydoedd chwaith. Roedd ei big yn enfawr, fel siswrn cawr, roedd ei lygaid a syllai arnaf mewn braw ac amheuaeth, fel platiau crwn mawr. Roedd ei goesau'n hir a chennog a chrafangau fel cyllyll am ei draed. Ar hynny, agorodd ei adenydd a oedd yn debycach i eiddo ystlum na'r eiddo aderyn, ac wrth eu lledaenu fe'u hestynnodd o naill gornel y stafell i'r llall gan fwrw silffoedd i lawr a thorri fy radio; disgynnodd poteli a phacedi i'r llawr, lluchiwyd cyllyll a ffyrc a llwyau i bob man, torrwyd llestri a mygiau yn deilchion. Fel pob creadur gwyllt ei unig ddymuniad oedd dianc yn ôl i'w gynefin; yr awyr agored, y môr neu'r goedwig, o ble bynnag y daethai; ond ni wyddai sut. Buaswn i wedi'i ryddhau pe gallwn, ond ni wyddwn innau beth i'w wneud. Ni allwn ei dywys i fynd drwy'r ffenest a edrychai'n llawer rhy fach iddo. Symudais at y drws, fy mwriad oedd ffônio'r heddlu neu'r sw, ond dyna fy nghamgymeriad cyntaf. Wrth i mi droi fy nghefn arno fe afaelodd yr aderyn yn fy nghoes dde â'i ylfin. Aeth ymylon ei big drwy'r cnawd a'r esgyrn fel llafnau. Trois mewn dychryn a phoen i'w weld yn llyncu fy nghoes. Llithrais i'r llawr, ni allai fy nghoes chwith gynnal fy mhwysau, a minnau â'm cefn yn erbyn drws y gegin, edrychodd yr aderyn arnaf ac yn ei lygaid gwelais ei ofn a'i ddryswch. Ei unig ddymuniad oedd dychwelyd at ei nyth neu'i gywion. Gwingais mewn poen ac roedd y symudiad sydyn yn ormod i'r aderyn druan – a chwap snapiodd fy nghoes arall, fe'i gwyliais yn mynd lawr corn gwddwg y ffowlyn. Er fy mod mewn dirfawr boen ni allwn beidio â chydymdeimlo â'r creadur, gwyddwn nad oedd wedi bwriadu fy mrifo. Sylwais ar y gwaed yn llifo o socedi fy nghoesau – lle bu fy nghoesau yn hytrach – a cheisiais atal y llif drwy orchuddio'r clwyfau â'm dwylo, ond pan symudais fy mreichiau roedd hynny yn ormod i'r aderyn a chnoiodd y ddwy, yn gyntaf y dde ac yna'r chwith. Wel doedd neb i'w feio ond y fi, ni allwn feio creadur heb iaith. Gorweddwn yno ar y llawr, fy mhen yn erbyn drws y gegin wedi'i blygu'n anghyfforddus, yn ddiymadferth, heb goesau, heb freichiau ac yn gwaedu fel mochyn ys dywedir. Edrychais ar yr aderyn gan ddechrau siarad ag ef yn dawel er mwyn ceisio'i gysuro. Ond snip, snap, snip, brathodd fy nwy glust a'm trwyn. Iddo ef roeddwn i'n dal i fod yn beryglus. Roedd un peth yn fy mhoeni yn awr sef bod fy mhidlen yn ymwthio allan o'm blaen i, fel blaen fy nhgorff. Pan feddyliais am hyn, fel petai wedi darllen fy meddwl gafaelodd yr edn yn fy mhidlen fach a'i llyncu fel y llynca mwyalchen fwydyn. Wel, doedd yr aderyn ddim i ddeall nad oedd dim niwed mewn dwy fodfedd o gnawd, iddo fe roedd yn fygythiad. Edrychais i fyw llygaid – neu lygad a bod yn fanwl gywir, gan na allai edrych arnaf ond ag un ar y tro – i fyw llygad yr aderyn gyda thosturi gan y gwyddwn nad ei fai ef oedd ei fod wedi'i gorneli a'i ddychryn am ei fywyd fel hyn. Ond daeth blaen ei big i mewn i'm llygad dde ac yna'r chwith gan eu plwcio o'u socedi yn fy mhen. Ar hynny rhoddais sgrech, sgrechiais a gollyngais sgrech arall. Ac mae'n amlwg bod hynny wedi hela mwy o ofn ar yr aderyn oherwydd gafaelodd yn fy nhafod…

Dyn Hysbys (Methedig)

ROEDD FY NGHEFNDER Tudno'n ddi-waith, ond wedyn pwy fasai'n ei gyflogi e a pha waith basai e'n ei wneud ta beth? Bu'n fethiant yn yr ysgol. Yn un peth roedd e'n rhy anhydrin, methodd yr athrawon i gyd â'i reoli. A pheth arall, ei unig ddiddordebau oedd Saesneg a Chymraeg. Anwybyddai fathemateg, gwyddoniaeth, cerddoriaeth, daearyddiaeth; gwrthodai dywyllu unrhyw wersi addysg grefyddol ar egwyddor, ac âi e ddim ar gyfyl y gwersi addysg gorfforol. Roedd disgyblaeth yn yr ysgol yn beth mympwyol a dweud y lleiaf, felly goddefwyd ymddygiad Tudno yn ddirwgnach, ac yn wir, roedd yr athrawon yn falch pan fyddai e'n mitsio. Ond doedd e ddim yn dwp o bell ffordd – rhy alluog ac anghyffredin i dderbyn unrhyw addysg gonfensiynol oedd e, os rhywbeth.

Llwyddodd Tudno i'w gynnal ei hun drwy dderbyn arian nawdd cymdeithasol ac osgoi cael ei orfodi i weithio drwy honni'i fod yn 'dioddef 'da'i nerfau', ac ar ben hynny gwasanaethai'r ardal fel dyn hysbys. Darllenai'r cardiau tarot, dail te, cledrau dwylo, cerrig y riwnau, y belen risial, y sidydd a chynnal *séances*. Ac am y gweithgareddau answyddogol hyn câi arian parod – darnau mawr o arian gleision ar gledr ei law – felly ni lwyddodd swyddogion y llywodraeth i'w ddal erioed.

Mae'n beth rhyfedd i'w ddweud, ond prin oedd cyfeillion Tudno yn y dref. Dyn od oedd e i'r cymdogion; yn ddewin, yn wrach wrywaidd. Er bod llawer yn ymgynghori ag ef (rhai yn gyson) nid âi neb yn agos ato yn gymdeithasol. Ond ni phoenai Tudno 'run ffeuen am hynny, roedd e'n rhy annibynnol, yn ar-ei-ben-ei-hun-ŵr. Yn fuan ar ôl iddo adael yr ysgol fondigrybwyll yn bymtheg oed heb yr un dystysgrif wrth ei enw, dechreuodd Tudno wisgo'n anghyffredin. Roedd ei ddillad bob amser yn gorfod bod yn goch tywyll – ei drowsus, ei sanau, ei grysau, ei deis, roedd hyd yn oed ei sgidiau'n goch. Dw i'n cofio 'Nhad yn dweud, "Bydd rhywun yn stico amlen yn ei ben un diwrnod."

Denai ei ddillad lawer o sylw annymunol ar y dechrau, cyn i'r gymdogaeth ddod yn gwbl gyfarwydd â nhw. Un noson, er enghraifft, aeth Tudno ma's am dro a daeth criw o lanciau o rywle a'i amgylchynu.

"Be' wnest ti, Tudno?"

"Dechra' llafarganu a rhoi hen felltith Frythoneg arnyn nhw. O'n nhw ddim yn deall yr hen eiriau Celtaidd, wrth gwrs, ond roedd yr effaith yn ddicon i hala ofon arnyn nhw."

Ond os oedd Tudno'n gallu ymdopi â'r holl sylw a ddenai ei ffordd anghonfensiynol o fyw, nid felly ei rieni, sef Anti Mabel ac Wncwl Arthur.

Doedd e ddim yn arfer bwyta fel pobl eraill chwaith. Yn wir doedd e ddim yn fodlon bwyta'r un briwsionyn o flaen neb arall. Âi i'w stafell bob amser bwyd.

"Ma' fe'n byta, serch 'ny," meddai Anti Mabel, "ond dim ond *Mars Bars* a *Lucozade*."

" 'Sdim rhyfedd ei fod e mor denau a gwan â chlwtyn o

’yd,” meddai Wncwl Arthur.

Yn ei stafell wely fechan roedd Tudno wedi codi platfform uchel ac ar hwnnw roedd e wedi dodi’i wely. O dan ei wely, felly, oedd ei gell, lle cadwai’i holl drugareddau, ac offer ei grefftau, ac ar y waliau roedd lluniau o Dr William Price, Llantrisant, Madame Blavatsky, Dr Harries, Cwrt-y-cadno, ac Aleister Crowley. Crogai esgyrn amrywiol o’r nenfwd ar rubanau (coch) – esgyrn adar, llygod, nadroedd yn ogystal â rhai dynol (medde fe) – a photeli llawn cynhwysion amheus; glas, piws, melyn, gwyrdd – a du, hyd yn oed.

Roedd ganddo fe lawer o ddiddordebau rhyfedd, mae’n wir. Casglai luniau a cherfluniau o Leda a’r alarch; darllenai am yr Eifftwyr a’r Asteciaid; roedd ganddo chwilfrydedd ysol yn sectau’r ail ganrif ar bymtheg – y Rantwyr, y Siglwyr, y Palwyr, y Lefelwyr a’r Muggletoniaid; roedd e’n argyhoedd-edig fod tylwyth teg go-iawn yn bod a’i uchelgais oedd tynnu llun o un ohonynt gyda’i gamera er mwyn profi’u bodolaeth; roedd e’n tanysgrifio i’r ymgyrch i gael y Dalai Lama yn ôl i Dibet.

Ond gwyddwn i ei fod yn ddigon diniwed.

“F’unig ddymuniad,” meddai ar fwy nag un achlysur, “yw gwneud pobol yn hapus a gwneud y byd yn well lle i fyw ynddo.”

Gweithredai Tudno ar y syniad fod pobl ansicr bob amser yn awyddus i wybod am y dyfodol ac i glywed pethau da.

Ar un adeg deuai nifer o fenywod o’r ffatri pacio siocledi ato. Ni wyddai Tudno pam yr oedd cymaint o ddiddordeb yn ei waith yn dod o’r un cyfeiriad yna, ond dywedodd wrth bob un o’r cwsmeriaid hyn am ddisgwyl codiad cyflog. Roedd y merched yn falch o glywed hyn a buont yn hael gyda'u harian gleision ar gledr ei law. Ond o fewn y mis cafodd y ffatri'i chau a'r menywod eu troi ar y clwt.

Roedd ansicrwydd yn elfen yn awyr yr ardal, felly anaml y byddai Tudno'n brin o gwsmeriaid hygoclus, parod i lynu wrth bob gair a ddeuai o'i enau.

Un noson roedd e'n cynnal *séance* yn ei gell (er gwaethaf gwrthwynebiad ffyrnig Anti Mabel ac Wncwl Arthur a oedd yn ceisio gwylio Cilla Black ar *Blind Date*) pan gafodd ei feddiannu gan ei ysbryd-dywysydd a oedd yn fynach o Dibet. Yn llais yr ysbryd, sef Pongo, dywedodd wrth ei ymwelwyr, Mandy ac Edgar Thomas, am beidio â phoeni am ddim gan eu bod yn siŵr o ennill y loteri yn y dyfodol agos. Y diwrnod canlynol aeth Mandy ac Edgar i brynu *Shogun* newydd sbon gwerth miloedd o bunnoedd. Ond daeth proffwydoliaeth Rinpoche Pongo yn wir. Bythefnos yn ddiweddarach enillodd Mr a Mrs Thomas ugain punt ar y loteri a bu raid iddyn nhw roi'r car mawr crand yn ôl neu golli'u cartref.

Roedd 'na lofruddiaeth erchyll mewn tref gyfagos a gafodd gryn dipyn o sylw ar y newyddion cenedlaethol. Daethpwyd o hyd i gorff merch yn ei harddegau mewn afon. Roedd hi'n noeth a chawsai ei threisio. Dangoswyd lluniau o'r ferch ar y teledu ac yn y papurau. Dramateiddiwyd ei symudiadau olaf ar *Crimewatch*, ac apeliwyd am unrhyw rithyn o wybodaeth. Doedd pethau cyffelyb ddim yn gyffredin yn ein rhan ni o'r byd (diolch i'r drefn), felly mawr oedd y cyffro, afraid dweud. Am hydoedd doedd gan yr heddlu ddim amcan pwy oedd wedi lladd y ferch. Dyna pryd yr aeth Tudno i drans a gadael i Rinpoche Pongo ei feddiannu er mwyn datrys y dirgelwch.

Drwy'r ysbryd cawsai Tudno ddisgrifiad clir o'r llofrudd. Dyn tywyll, barfog, canol oed o Sir Efrog ydoedd, medde fe. Rhoes y disgrifiad i'r heddlu a'u cynghori i chwilio am y dyn yn Leeds. Dridiau yn ddiweddarach cyfaddefodd cyn-gariad y ferch iddo'i lladd mewn pwl o genfigen ar ôl iddi ddechrau caru gyda llanc arall. Gwnaed profion ar ei chorff hi ac ar y bachgen – dyn yn ei ugeiniau cynnar, o'r un dref â'r ferch ei hun – a phrofwyd, heb amheuaeth, mai ef oedd y llofrudd. Dywedwyd y drefn wrth Tudno gan yr heddlu am wastraffu'u hamser.

Er bod pawb yn gwybod am fethiannau seicig Tudno roedd ganddo gwsmeriaid di-rif bob amser, a chredai ef yn ddisigl yn ei ddoniau goruwchnaturiol.

Aeth i dipyn o gors, serch hynny, pan ddechreuodd ymhél â iacháu pobl drwy ddulliau gwyrthiol. Daeth un fenyw o'r enw Miss Cornfield ato, yn cwyno â phoen yn ei chefn.

"Gadewch i mi ddodi 'nwylo ar eich cefn, Miss Cornfield."

"Ow! Ma' dy ddilo di'n o'r, Tutno."

"Mae'n flin 'da fi, Miss Cornfield. Otych chi'n dechre teimlo'n well nawr?"

"Otw, wi'n cretu 'mod i, Tutno."

"Cerwch sha thre nawr, Miss Cornfield. Byddwch chi'n berffeth iach cyn hir, a 'sdim eisie i chi fynd at y doctor."

"Diolch, Tutno. O 'na welliant, yn bendant. A dyma rwpath iti, hwde. Alla i ddim rhoi lot, ond wy'n ddiolchgar dros ben, wir, 'machgen i."

Wel, aeth Miss Cornfield ddim at y doctor. O fewn wythnosau bu farw o gancr ar ei hasgwrn cefn.

Bu raid i Tudno gadw'n dawel am dipyn wedyn a wnaeth e ddim ceisio gwella cleifion byth eto.

Un tro darllenodd y dail te i Beti Soper.

"Be ti'n weld, Tutno?"

"Dyn tal, hardd."

" 'Y ngŵr i?"

"Oti fe'n dal ac yn hardd?"

"Oti. Ti'n napod e, Tutno."

"Fe yw e 'te."

"Be ma' fe'n 'neud, Tutno?"

"Wy'n cretu bod aelod newydd yn dod i deulu'r Sopers, he' fo'n hir."

"O 'na neis. 'Swn i'n lico c'el plentyn arall. Merch neu fachgen?"

"Croten, wy'n cretu."

"O, 'na braf. Wy' moyn merch tro nesa. Ond smo fi'n dishgwl, Tutno."

"Wyt ti'n siŵr, Beti? Wy'n gweld ti, dy ŵr a merch yn y dail te 'ma'n barod."

Wel, aeth Beti at y meddyg, ond hi oedd yn iawn, doedd hi ddim yn feichiog. Ond bythefnos yn ddiweddarach rhedodd Mr Soper bant gyda merch ysgol dan oedran. Mewn ffordd, felly, roedd y llun a welsai Tudno yn y cwpan y diwrnod hwnnw yn gywir, wedi'r cyfan.

"Y drafferth yw, t'wel, 'mod i'n camddehongli'r seins ambell waith," meddai Tudno.

Ac yna, un diwrnod, cerddodd Tudno ma's o dŷ Anti Mabel ac Wncwl Arthur. Roedd e'n gwisgo siwmper drwchus, gwddwg uchel – coch, afraid dweud; llodrau coch, sanau coch a sgidau coch, yn ôl ei arfer. Ond doedd e ddim yn cario dim byd – dim cesys, dim bagiau. Fe'i gwelwyd gan nifer o bobl a oedd yn ei nabod a rhai dieithriaid yn y dref; roedd rhai wedi'i gyfarch. Ac wedyn diflannodd. Nawr sut yn y byd gallai dyn bach eiddil, tri deg wyth oed, wedi'i wisgo o'i ben i'w sawdl mewn coch llachar, ddiflannu? Ac i ble?

Gan nad oedd Tudno yn arfer aros ma's yn hwyr dechreuodd Anti Mabel ac Wncwl Arthur bryderu bron yn syth. Ffoniwyd yr heddlu, a chysylltwyd â pherthnasau a chymdogion.

Gan fod Tudno wedi hel cymaint o arian parod, ac yntau heb agor cyfrif banc erioed, ni allai neb ddyfalu faint o'i gynilion oedd yn ei bocedi pan adawodd ei gartref. Cannoedd, miloedd o bunnoedd o bosib. Ond o adnabod Tudno doedd hynny ddim yn debygol; mwy na thebyg fod ei bocedi'n wag; yn sicr daeth Anti Mabel o hyd i bentwr o arian dan ei fatras.

Aeth yr oriau yn ddyddiau a'r dyddiau yn wythnosau ac yn fisoedd; mis Awst yn gyntaf ac wedyn mis Medi ac yn ôl ei arfer ar ôl mis Hydref daeth mis Tachwedd heb air oddi wrth Tudno. Gosododd Anti Mabel ac Wncwl Arthur hysbysebion am wybodaeth amdano yn y papurau. Siaradodd Anti Mabel drwy ddagrau'i gofid ar y radio. Yn y flwyddyn newydd ymddangosodd Wncwl Arthur ac Anti Mabel ar raglen deledu i siarad am y diflaniad rhyfedd.

Ond am Tudno ei hun ni chlywyd siw na miw. Yn fuan collodd ein cymdogion a'r heddlu ddiddordeb yn yr achos – yn ddidrugaredd o fuan. Ond daliai Wncwl Arthur ac Anti

Mabel i obeithio.

"Bydda i'n mynd ma's i'r stryd bob dydd a wy'n disgwyl ei weld e'n cerdded shuag ata i yn ei ddillad coch," meddai Anti Mabel.

Ond ddaeth e ddim. Bu farw Wncwl Arthur. Aeth gwallt Anti Mabel yn burwyn. Ond daliai hi i ddisgwyl dychweliad Tudno. Cadwai'i gell yn union fel y'i gadawyd gan ei mab, er y gallasai fod wedi gosod stafell sbâr ar rent am arian teg.

Aethai chwe blynedd heibio a rhaid i mi gyfaddef i mi anghofio am Tudno i bob pwrpas; o leiaf fyddwn i ddim yn meddwl amdano'n aml, ac yn sicr roeddwn i wedi rhoi'r gorau i'w ddisgwyl yn ôl eto. I mi roedd e fel aelod o'r teulu a oedd wedi marw.

Madarchasai nifer o ddamcaniaethau ynglŷn â'r diflaniad. Credai rhai iddo gael ei lofruddio. Yn ôl rhai eraill bu'n paratoi i ffoi dros gyfnod hir; wedi storio arian, wedi cuddio dillad, wedi newid yn y dref y diwrnod hwnnw ac wedi rhedeg bant. Ac ar linellau cydnaws â syniadaeth Tudno'i hun damcaniaethai eraill iddo gael ei gipio gan ysbrydion neu *UFOs*. Ond pwy fasai'n dymuno lladd diniweityn fel Tudno? Pam y basai'n rhedeg i ffwrdd, ac oddi wrth beth? Am y dyfaliadau eraill, roedden nhw'n hollol dwp.

Yn bersonol doedd gen i ddim syniad beth oedd wedi digwydd iddo. Cadw meddwl agored oedd f'athroniaeth i.

* * *

Roeddwn i'n gweithio yn Birmingham – o bob man – ac un diwrnod wedi mynd i gaffe a phrynu te ac *éclair* ac eistedd i fwynhau fy hun. Yn sydyn, deuthum yn ymwybodol fod rhywun mewn dillad coch yn eistedd wrth f'ochr. Trois fy mhen a dyna lle'r oedd fy nghefnder yn eistedd, heb newid nemor ddim.

"Tudno!" ebychais ar ôl sawl eiliad o syfrdandod a thagu ar f'*éclair*.

"Sut wyt ti ers lawer dydd?" meddai, fel petawn i'r un a fu ar goll.

"Dw i'n iawn, ond sut wyt ti? Ble'r wyt ti wedi bod?"

"Dw i wedi bod yn crwydro a chrwydro," medde fe'n niwlog fel 'na.

"Ma' Anti Mabel yn poeni amdanat ti."

Soniais i ddim am farwolaeth Wncwl Arthur rhag ofn na fasai fe mewn cyflwr i dderbyn y cyfryw newyddion trist.

"Wy'n ffansïo un o'r teisennau 'na," meddai Tudno gan godi a mynd at y cownter.

Daeth yn ôl at y ford lle'r oeddwn i'n eistedd, wedi iddo brynu *Mars Bar* a *Diet Coke*.

"Smo nhw'n gwerthu *Lucozade*," meddai'n siomedig.

Ni allwn beidio â syllu ar ei groen, ar ei wallt ac ar y dillad coch 'na. Teimlwn fel petawn i wedi neidio yn ôl mewn amser neu fod Tudno wedi dod yn ôl o farw'n fyw. Ond dyna lle'r oedd e mor solet a chnawdol ag erioed – yn ei ffordd eiddil, esgyrnog ei hun.

Siaradodd yn huawdl a hirwyntog am ei hen ddiddordebau: Tibet, yr Aifft, y tylwyth teg, y rantwyr a'r lefelwyr, am y ddelwedd o Leda a'r alarch. Ac yna, yn annisgwyl gofynnodd:

"Faset ti'n lico i mi ddarllen y dail te i ti?"

Doedd Tudno erioed wedi cynnig dweud fy ffortiwn o'r blaen, ac er nad oeddwn i'n credu yn y peth ac er fy mod yn cofio pa mor anobeithiol o anghywir oedd y rhan fwyaf o'i weledigaethau, fe gydsyniais.

Gofynnodd i mi siglo'r cwpan yn ôl y drefn arbennig a thraddodiadol sy'n briodol i'r dull hwnnw o ddarllen arwyddion. Ond chymerais i fawr o sylw o ddeongliadau Tudno, yn hytrach ni allwn dynnu fy llygaid oddi arno. Meddyliwn mor rhyfedd oedd ei weld e ar ôl cymaint o amser, ac mor falch fyddai Anti Mabel o glywed ei fod e'n fyw ac yn iach. Ond dw i'n cofio iddo ddweud rhai pethau.

"Wy'n dy weld ti'n pendwmpian ar drên."

"Wel, dyna beth od," meddwn i, "wy'n mynd sha thre fory ar y trên. Ddoi di gyda fi?"

"Paid ti â phoeni. Bydda i yno o dy flaen di, yn d'aros di, wir i ti."

"Wir?"

"Wir."

Ar hynny, cyn i mi sylwi bron, cododd a dechrau cerdded ma's.

"Tudno! Ble wyt ti'n mynd? Ble wyt ti'n aros heno?"

Rhedais ar ei ôl i'r stryd ond roedd wedi diflannu yn y dorf.

Doedd dim gobaith i mi fynd i gysgu'r noson honno heb ddweud wrth y teulu. Allwn i ddim ffonio Anti Mabel yn uniongyrchol rhag ofn iddi gael gormod o fraw – doedd ei chalon ddim yn gryf – felly dyma fi'n ffonio Mam yn gyntaf.

" 'Na ryfedd i ti ffono heno," meddai cyn i mi gael cyfle i ddweud dim, "ti ddim yn mynd i gretu hyn ond ma' nhw wedi ffindo Tudno..."

"Ffindo Tudno? Ond, Mam..."

" 'Na fe ti'n gweld, dylet ti adael rhif ffôn 'da fi ble bynnag ti'n mynd, ti byth yn gwpod be sy'n mynd i ddicwdd. Neithiwr oedd hi. Ma' nhw wedi ffindo sgerbwd yn yr hen ddillad coch 'na. Meddylia, ar ôl yr holl amser hyn. Ma' Anti Mabel wedi c'el sioc ofnadw, cofia..."

Aeth yn ei blaen ac roeddwn i eisiau torri ar ei thraws hi a dweud bod 'na gamgymeriad, nad oedd y peth yn bosibl, fy mod i newydd fod yng nghwmni Tudno, yn siarad gyda fe, yn gwrando arno fe'n parablu, yn yfed te gyda fe, yn 'i wylio fe'n darllen y dail te, ond ni ddeuai'r geiriau i'm genau. Ar wahân i hynny roedd Mam yn mynd i hwyl, felly doedd dim gobaith ei stopio hi wedyn, ac roedd fy mudandod i yn danwydd i'w huodledd hi. Ni allwn gymathu'r holl wybodaeth roedd hi'n ei arllwys i'm clustiau.

"...rhyw ddamwain mae'n debyg wedi cwympo lawr twll ond, meddylia am y peth... beth oedd ar ei ben e'n mynd lan i'r hen lofa 'na... yr hen lofa o bobman... Ond mae'n well c'el gwpod yn y 'marn i, na bod heb ateb o 'yd, ontefe?... Anti Mabel... dw i'n mynd draw i'w chysuro hi heno, lwcus dy fod ti wedi ffono nawr neu baset ti wedi 'ngholli i... mae hi'n glawd iawn, fel baset ti'n dishgwl."

"Otyn nhw'n siŵr taw Tudno oedd y sgerbwd 'na?"

"Paid â bod yn dwp, w! Wrth gwrs 'u bod nhw'n siŵr. Y dillad coch 'na... ac ro'dd 'da fe lyfr yn 'i boced ar sut i ddarllen dail te a'i enw arno fe. A'r petha erill, petha gwyddonol... smo fi'n diall yn iawn... dannedd, ti'n gwpod, a phetha fel'na... Gyta llaw, pam wyt ti'n ffono?"

“Dim byd… dim byd arbennig… eisia gwpod sut o’t ti, ’na i gyd.”

“Brysia ’nôl ’te.”

Chysgais i ddim y noson honno. Es i allan i grwydro’r strydoedd ac yn ôl i’r caffe gan obeithio gweld Tudno.

Cysgais ar y trên ar y ffordd yn ôl, mor flinedig oeddwn i. Dihunais ychydig cyn i’r trên gyrraedd Caerdydd ac yno, ar y ford o ’mlaen i, roedd *Mars Bar* a photel fechan o *Lucozade*.

Ci Du

I DDECHRAU, dim ond sŵn bach anhyglyw oedd e. Rhyw dinc aneglur yng ngrombil y fatras. Dim byd i sylwi arno. Clywsai Tim y sŵn un bore Llun. Roedd e wedi deffro gan feddwl ei fod wedi gorgysgu ond ar ôl iddo edrych ar ei oriawr a gweld nad oedd hi ddim yn saith eto arosasai yn y gwely ar ddi-hun am dipyn. Ac yna fe glywodd y sŵn. Wnaeth e ddim cynhyrfu y tro cyntaf hwnnw. Cododd ac aeth i lawr i'r gegin a berwi wy i frecwast. Rhoes laeth mewn soser ar gyfer ei gi, Mostyn. Darllenodd y papur yn frysiog. Aeth i ymolchi ac eillio, a chyn iddo fynd i'r ffatri aeth â Mostyn am dro bach. Bore digon cyffredin.

Y bore hwnnw cerddodd i'w waith yn y dre fel arfer. Roedd pawb yn y ffatri yn eu lleoedd arferol. Cyfarchodd Miss Bowen ef gyda'i gwên beintiedig pan aeth Tim heibio i ddrws ei swyddfa hi. Edrychai'i gwallt fel corwgl ar ei phen.

"Bore da, Mr Roberts," galwodd ar ei ôl. Ddywedodd Tim ddim byd. Roedd awgrym o ddyhyfod yn ei chyfarchiad bob tro, a chodai ofn arno.

Cymerodd Tim ei le o flaen y gwregys-gludo â'i afon ddi-baid o drugareddau peiriannol. Rhwng ei waith diddychymyg a pharabl hurt Martin gyda'i jôcs rhagbaratoedig gallai'r diwrnod fod yn llethol, ond ar ôl gweithio yn yr un sefyllfa am naw mlynedd roedd e wedi dysgu sut i gau'i glustiau i'w gydweithiwr a chau ei feddwl ar ei orchwyl diflas. Aethai'i symudiadau'i hun yn beiriannol hyd yn oed. Codai'r teclynnau o'r gwregys a dodi'r pethau crwn – yr oedd pentwr ohonynt o'i flaen – ar y teclyn, a dodi'r teclyn yn ôl ar y gwregys a chymryd un arall a gwneud yr un peth eto, ac yn y blaen fel'na tan bump o'r gloch, ar wahân i egwyl yn y bore am un ar ddeg, yr awr ginio wedyn, ac egwyl arall am goffi am dri y prynhawn. Wrth iddo weithio edrychai Tim ymlaen at bob un egwyl gan gyfri'r oriau a'r munudau rhyngddynt.

Roedd sŵn y ffatri'n ddychrynllyd. Y peiriannau aflonydd yn canu grwndi ac yn ysgyrnygu'n barhaus, fel anifeiliaid annwfn.

Roedd Mostyn yn falch iawn o weld ei feistr ac yn barod i fynd am dro – doedd e ddim wedi bod allan er y bore. Felly, cyn mynd i eistedd i ymlacio ar ôl ei ddiwrnod gwaith, aeth Tim â Mostyn i'r comin am hanner awr. Doedd neb yno.

Wrth iddynt ddod yn ôl i'r tŷ cyfarthodd Mostyn fel petai wedi clywed rhyw sŵn. Aeth Tim i edrych ym mhob stafell ond doedd dim byd i'w weld o'i le.

Eisteddodd Tim o flaen y teledu gyda Mostyn wrth ei draed am weddill y noson.

* * *

Y bore canlynol, pan ddihunodd Tim, clywodd y sŵn yn y gwely eto. Roedd yn gliriach ac yn fwy cyson y tro hwn.

Aeth Tim i lawr i'r gegin. Roedd Mostyn yn falch o'i

weld ac am ryw reswm roedd Tim hyd yn oed yn falchach nag arfer o weld Mostyn. Roedd e'n hoff iawn o'r hen gi, ond y bore hwnnw pan ddaeth Tim i lawr y grisiau daethai syniad arswydus i'w feddwl. Beth petai Mostyn wedi marw yn ystod y nos? Mostyn oedd ei unig gwmni dros y penwythnosau hirion a'r nosweithiau maith. A phan ddeuai Tim yn ôl ar ôl iddo fod wrth ei waith yn y ffatri drwy'r dydd byddai Mostyn yno'n aros i'w groesawu'n deyrngar. Doedd yr hen gi ddim yn poeni am ei wendidau nac am ei ddiffyg hyder – iddo ef roedd Tim yn deulu ac yn dduw.

Edrychodd Tim ym myw llygaid y ci – ac am y tro cyntaf gwelodd eu bod yn pylu a bod haenen o flith yn eu harlliwio. Roedd Mostyn yn heneiddio, roedd e'n un ar ddeg bellach.

Mae'n dal i fod yn anifail heini, meddyliai Tim. Dere, Mostyn, fe awn ni am dro i'r parc y bore 'ma.

Siglodd y ci ei gwt mewn llawenydd.

Taflai Tim bêl i Mostyn ond roedd e'n drist o weld pa mor araf roedd y ci wedi mynd. Yn ei ieuenctid doedd dim blino arno. Rhedodd Tim gan annog y ci i redeg ar ei ôl ond buan y collai Mostyn bob diddordeb.

Gwelodd Tim bobl yn y parc. Hen bobl gyda hen gŵn, a phobl ifainc gyda chŵn ifainc. Gwnaeth Tim ei orau glas i'w hosgoi nhw i gyd. Doedd e ddim eisiau siarad â neb; weithiau ni allai wynebu pobl.

Yna, o nunlle, ymddangosodd ci mawr du. Teimlai Tim yn ofnus. Roedd y ci hwn yn hyll – fel y fagddu. Roedd ei glustiau'n fach ac yn bigog a'i gwt fel gwialen. Roedd e'n ddu i gyd fel cysgod angau ar wahân i'w ddannedd a oedd yn ysgithredd disgleirwyn. Roedd ei lygaid yn fychain ac yn dreiddgar ac yn goch fel cols. Roedd ei dafod a'i safn yn goch hefyd. Ac yn gwthio'n ddigywilydd o fuchudd ei fola fel llafn gwaedlyd roedd ei bidyn coch.

Safodd y tri ohonynt am eiliad i edrych ar ei gilydd. Roedd Mostyn yn crynu gan ofn – fel ci ifanc buasai wedi herio hwn – ond yn awr symudodd i guddio y tu ôl i'w feistr. Ar hynny bolltodd y ci du tuag ato yn chwyrn – yn ymgnawdoliad o ffyrnigrwydd. Llipryn o ysglyfaeth diymadferth oedd Mostyn. Cododd Tim ddarn mawr o bren, boncyff yn wir, a churo'r ci du ar ei gefn nes iddo ollwng ei afael ar glust Mostyn. Yna rhoes y ci du edrychiad beiddgar ar Tim ac ysgyrnygu dan ei wynt, fel petai. Yna aeth i ffwrdd yn gwbl hunanfeddiannol.

Aeth Tim â Mostyn yn ôl i'r tŷ i drin ei friwiau. Roedd yr hen gi mewn cyflwr truenus. Golchodd Tim y brathiadau – rhai ohonynt yn ddwfn iawn – yn ofalus. Rhoes ennaint arnynt er gwaetha'r protestiadau truenus. Wedyn bu'n rhaid i Tim ei adael a mynd i'w waith.

Pan gyrhaeddodd y ffatri edrychodd ei gydweithwyr arno'n syn. Roedd e'n hwyr, ac yntau mor brydlon fel arfer. Daeth Mr Gosling ato i ddweud y drefn wrtho. Ceisiodd Tim esbonio ond doedd dim yn tycio.

"Ydi popeth yn iawn, Mr Roberts?" sibrydodd Miss Bowen, ac er nad oedd yn hoff iawn ohoni teimlai Tim y gallai agor ei becyn gofidiau iddi y tro hwn.

"Cafodd Mostyn, 'y nghi, ei gnoi gan gi arall."

"Druan ohono. Sut ma' fe?"

"Glawd mae arna i ofon. Ma' fe'n mynd yn hen, t'wel."

"Fel pob un ohonon ni, ontefe Mr Roberts, gwaetha'r modd."

Doedd hi ddim yn deall. Roedd Mostyn yn mynd yn hen yn gyflymach na phobl. Dim ond un ar ddeg oedd Mostyn ond roedd e'n hen iawn yn barod. Roedd y syniad o fywyd heb y ci yn annioddefol. Ni allai'r un ci arall gymryd lle Mostyn. A phan welsai'r ci du y bore hwnnw fe'i gwelsai drwy lygaid ei hen gi, ac anobeithio. Fe'i gwelsai fel anghenfil cryf, fel cennad marwolaeth.

Y noson honno eisteddai Tim o flaen y teledu, ond yn lle gwylio'r rhaglenni syllai ar y ci wrth ei draed.

* * *

Gallasai Tim fod wedi tyngu llw iddo glywed geiriau yn sŵn y gwely fore trannoeth. Ond fe boenai ormod am Mostyn i feddwl am ddim byd arall. Y peth mwyaf pwysig oedd cadw Mostyn yn heini.

Cafodd Tim a'r ci eu brecwast ar garlam cyn mynd i'r parc. Roedd Tim yn barod am yr anghenfil du y tro hwn. Cariai ffon braff rhag ofn ei gyfarfod eto. Ofnai adael Mostyn yn rhydd. Roedd y parc yn llawn bygythiad a'r byd yn lle digalon ac unig i Tim a Mostyn.

Edrychai Mostyn lan i wyneb ei feistr. Yn ei lygaid pŵl yr oedd arlliw o oleuni o hyd, goleuni a oedd yn arwydd o'i ewyllys i fyw. Teimlai Tim ei bod yn rhaid iddo'i ryddhau o'r clymyn am dipyn neu fyddai'r tro yn y parc yn werth dim iddo. Roedd yn rhaid i Mostyn gael ei ymarfer corff fel y dynion busnes canol oed a oedd yn loncian o gwmpas y llyn gan obeithio estyn einioes.

Ymateb Mostyn i'w ryddhau oedd siglo'i gwt a rhedeg yn ei flaen am dipyn, ac wedyn diffygio. Pan oedd e'n gi ifanc, cofiai Tim, buasai wedi rhedeg fel bollt i bob cyfeiriad a buasai'n anodd ei ddal wedyn. Serch hynny, roedd Tim yn hapus i weld tipyn o sioncrwydd yn yr hen gi o hyd.

Cerddodd Tim drwy'r gerddi cyhoeddus gyda Mostyn yn ei ddilyn yn hamddenol ac yn rhedeg o'i flaen yn dalog bob yn ail. Doedd neb o gwmpas ond ni theimlai Tim yn unig gyda'i gyfaill ffyddlon. Roedd hi'n fore braf hefyd.

Rhuthrodd y ci du o rywle y funud pan nad oedd Tim yn disgwyl amdano. Roedd e'n cyfarth yn ffyrnig ond y tro hwn cadwai rywfaint o bellter.

Galwodd Tim ar Mostyn a rhoi'r clymyn arno. Cadwodd Tim ei ben er bod Mostyn wedi dychryn am ei fywyd. Cymerodd Tim arno nad oedd e'n ofni'r ellyll o gwbl gan gerdded heibio iddo'n ddifater er gwaethaf'r rhegfeydd a'r bygythiadau danheddog. Roedd yn hen bryd iddynt adael y parc beth bynnag, ac adre â nhw.

Pan aeth Tim i mewn i'r ffatri syllodd ei gydweithwyr arno. Doedd e ddim wedi eillio nac ymolchi na chribo'i wallt hyd yn oed.

★ ★ ★

Dydd Iau, ac roedd Tim yn siŵr fod y sŵn yn gliriach yn y gwely ac yn debyg i lais. Ac ar ben hynny teimlai fod y llais yn ceisio dweud rhywbeth wrtho.

Bu Mostyn yn dost yn y nos. Effaith ei friwiau, tybiai Tim.

"Fe awn ni am dro ar ôl i ti fwyta dy fwyd. Ond awn ni ddim i'r parc heddi, rhag ofn i ti weld dy elyn 'to."

Aethant i'r comin. Roedd y lle'n frwnt iawn, ysbwriel ym mhobman, hen bapurau ar wasgar, gwynt ofnadwy yn codi o'r pridd. Roedd Mostyn wrth ei fodd.

Chwap! Ymddangosodd y ci du. Roedd e'n sefyll ar fryncyn. Cysgod oedd e, ar wahân i'w ddannedd gloyw a oedd fel pe baent yn gwenu'n wawdlyd. Yn ddiymdroi rhoes Tim glymyn Mostyn am ei wddf, ac i ffwrdd â nhw ill dau heb droi i edrych ar y cythraul.

Yn y ffatri y diwrnod hwnnw ni allai Tim ganolbwyntio ar ei waith. Teimlai fel tagu Martin a'i storïau twp. Roedd Miss Bowen yn gwisgo ffrog oren a phob tro y gwelai Tim hi deuai tipyn o bendro drosto.

Meddyliai am Mostyn. Teimlai'n euog iddo'i adael drwy'r dydd. Doedd hi ddim yn addas i ddyn a weithiai drwy'r dydd gael ci. Roedd e wedi gorfodi'i gi i dreulio'r rhan fwyaf o'i oes ar ei ben ei hun mewn tŷ gwag, fel carcharor. Anghofiasai Tim ei fywyd unig, undonog cyn iddo gael Mostyn. Unigrwydd wedi'i atalnodi gyda chyfres o garwriaethau byr – cwrdd â dieithriaid ar y comin, yn y parc, yn y coed ar bwys yr eglwys. Cyfathrach rywiol frysiog.

* * *

Bore dydd Gwener. Llais oedd y sŵn ac roedd e'n dweud rhywbeth, yn bendant. Nid yr un peth drosodd a throsodd ond llifeiriant o eiriau blith draphlith ac roedd e'n siŵr ei fod e'n clywed ei enw ei hun, Tim, o bryd i'w gilydd.

Pan aeth i lawr i'r gegin cododd Mostyn o'i wely yn araf, yn anystwyth iawn. Roedd yr henaint yn lledaenu i'w esgyrn.

Cyn mynd i'r ffatri aeth Tim â Mostyn i'r coed ar bwys yr eglwys. Heb iddynt fod yno'n hir gwelodd Tim gysgod yn dod tuag atynt â gwên faleisus a llygaid cochion gwenwynig. Roedd y ci du fel petai'n gwybod i ble'r aent, yn darllen eu meddyliau, yn achub y blaen arnynt bob tro. Aeth Tim â Mostyn yn ôl i'r tŷ yn syth. Er i'r ci du gadw draw y tro hwn roedd e'n fwy bygythiol nag arfer hyd yn oed.

"Mae'r diawl ymhobman," meddai Tim. Roedd Mostyn yn falch o ddod yn ôl i'r tŷ. Roedd e wedi blino ar ôl y tro byr hyd yn oed.

"Fe awn ni i rywle arbennig yfory," meddai Tim wrth y ci.

A'r bore hwnnw penderfynodd Tim na allai ddioddef y ffatri a'i gydweithwyr am ddiwrnod arall. Roedd hi'n bwysicach iddo ofalu am Mostyn yn ei flynyddoedd olaf. Dyna'r unig ffordd y gallai Tim ei wobrwyo am ei ffyddlondeb a'i gariad.

Aeth Tim i weld Mr Gosling a dweud wrtho'n ffurfiol ei fod am roi'r gorau i'w swydd y diwrnod hwnnw a'i fod am adael yn syth ar ôl iddo hel ei bethau at ei gilydd.

"Mae hyn braidd yn ddirybudd," meddai Mr Gosling ac eto nid oedd deigryn i'w weld yn ei lygaid.

Ni theimlai Tim yn drist chwaith. I'r gwrthwyneb, teimlai ryw ollyngdod mawr. O hyn ymlaen gallai dreulio pob awr gyda'i gi.

Ni chanodd yn iach â Martin na Miss Bowen.

Y noson honno rhannodd Tim a Mostyn bryd o fwyd Tsieineaidd.

* * *

"Tim! Tim!" meddai'r llais yn y gwely. "Tim, mae'n hen bryd i ti godi. Mi wn ei bod hi'n ddydd Sadwrn a dy fod ti wedi rhoi'r gorau i dy waith yn gyfan gwbl – peth gwirion, byrbwyll i'w wneud – ond rhaid i ti godi ar unwaith, does gen ti ddim hawl i ymlacio. . ."

Neidiodd Tim o'r gwely. Tynnodd y dillad i gyd oddi ar y gwely. Pwniodd y gobennydd a'r fatras gan feddwl fod rhyw bryf wedi mynd i mewn iddynt. Edrychodd o dan y gwely ond doedd dim byd yno ond llwch.

Aeth i lawr i'r gegin i gael bwyd ac i roi bwyd i Mostyn. Wedyn dododd y gobennydd a dillad y gwely i gyd mewn bag mawr ac aeth â nhw a Mostyn i'r golchdy. Peth nas gwnaethai ers misoedd.

Dododd y cyfan i mewn yn un o'r peiriannau ac eistedd i'w gwylio nhw'n troi. Roedd Mostyn wrth ei draed.

Yna edrychodd Tim drwy'r ffenestr ar y stryd. Pobl yn siopa, ceir, plant, cŵn. Rhai gyda'u perchenogion a rhai'n crwydro'n rhydd rhwng coesau'r bobl.

Gwelodd y ci du yn croesi'r heol gan anwybyddu'r ceir ac yn dod at ffenestr y golchdy. Syllodd drwy'r gwydr i wynebu Tim. Roedd ei anadl yn cymylu'r ffenestr, ei dafod yn slobran a glafoerion yn diferu ar y pafin. Gan gadw'i lygaid ar y ci du trosglwyddodd Tim y dillad o'r peiriant golchi i'r peiriant sychu. Nid oedd Tim yn awyddus i wynebu'r ci du mewn stryd brysur.

Yna edrychodd i lawr ar Mostyn a sylweddoli ei fod yn dost ac wedi llewygu.

Yn y man roedd y dillad yn barod, felly rhoes Tim y cyfan yn ei fag yn bentwr pendramwnwgl. Edrychodd rhai o'r menywod yn y golchdy'n ddirmygus arno.

Ni allai Mostyn sefyll. Cododd Tim ef a'i gario dan ei gesail. Pan aeth allan i'r stryd roedd y ci du wedi cilio i'r ochr arall, ond daliai Tim i'w wylio.

Pan gyrhaeddodd Tim y tŷ taflodd y bag dillad i'r naill du ac, yn ofalus, rhoes Mostyn yn ei wely.

Roedd hi'n rhy hwyr i alw'r milfeddyg.

* * *

Dihunodd Tim mewn cadair freichiau. Nid oedd wedi bod i'r gwely. Ar ôl iddo sylweddoli bod Mostyn wedi marw, aeth i'r gadair i lefain nes iddo gysgu. Bellach roedd hi'n hanner awr wedi un ar ddeg fore Sul. Roedd e'n gorfod codi a mynd ymlaen â'i fywyd. Roedd e'n gorfod cyweirio'r gwely gyda'r dillad glân. Gwnaeth hynny.

Ac roedd e'n gorfod gwneud rhywbeth â chorff ei annwyl gi. Felly fe'i claddodd yn y pwt o ardd wyllt y tu cefn i'r tŷ.

Roedd e wedi colli'i waith er mwyn gofalu am Mostyn. Yn awr roedd hwnnw'n farw a doedd dim byd arall i'w wneud ond mynd i'r gwely eto.

* * *

Roedd hi'n dawel, dim sŵn, dim llais yn y fatras. Roedd Tim wedi cael gwared ag ef a theimlai'n falch.

Ond pan aeth i'r gegin i baratoi ei frecwast cofiodd yn syth ei fod ar ei ben ei hun. Dim croeso, dim tro i'r parc. Dim Mostyn. Ac wrth gwrs doedd ganddo ddim ffatri i fynd iddi chwaith. Roedd e'n ddigalon. Doedd ganddo ddim byd i'w wneud, dim byd i lenwi ei fywyd, dim i gymryd lle Mostyn.

Ni allai Tim ddioddef bod yn y tŷ ar ei ben ei hun, felly aeth i'r coed ar bwys yr eglwys am dro i fod yn yr awyr agored.

Eisteddodd ar un o'r meinciau gan geisio anghofio Mostyn. Roedd y fainc yn wlyb ac roedd hi'n oer a gwynt main yn chwipio o amgylch ei glustiau a'i ysgwyddau.

Edrychodd Tim ar bob llanc a dyn a âi heibio gan geisio dychmygu'u bywydau nhw. A oedd yr un ohonynt mor unig ag ef? A oedd rhywun arall yn y byd mor unig? Dim perthynas, dim teulu, dim ffrindiau a dim gobaith o wneud ffrindiau. Teimlai Tim ei fod wedi methu yn y pethau pwysicaf, ond cawsai'r hyn a ddeuai mor hawdd i bobl eraill yn drybeilig o anodd, yn amhosibl, yn wir.

Tra eisteddai Tim fel hyn daeth y ci du o'r tu ôl i'r eglwys. Roedd e'n wahanol rywsut. Nid oedd ei lygaid yn goch eithr yn winau fel cnau ac arlliw o dristwch ynddynt. Hongiai'i gynffon yn llipa, ei safn ar gau. Ond teimlai Tim yn ddig wrtho.

"Cer o'ma'r cythraul!"

Ond symudodd y ci ddim. Daeth pelydryn o haul ac yn y goleuni newydd nid oedd blew'r ci mor ddychrynllyd o dywyll.

Cododd Tim ac aeth yn ôl i'w gartref yn benisel.

* * *

Pan ddihunodd Tim eto yn ei wely cynnes tawel teimlai'n ysgafnach ei ysbryd. Roedd syniad newydd wedi dod iddo fel gweledigaeth yn ei gwsg.

Petasai Mostyn wedi gweld y ci du ddoe efallai y buasai wedi bod yn barotach i ddod yn ffrindiau gydag e. Beth bynnag, roedd Tim yn siŵr nad oedd Mostyn am iddo fod yn unig. Roedd Mostyn wedi cwrdd â'r ci du, wedi'r cyfan – buasai hwnnw'n well na chi dieithr.

Aeth Tim i siopa i gael cig. Gwelodd Miss Bowen.

"Tim! Sut mae pethau?"

"Iawn. Sut 'ych chi?"

" 'Niwrnod bant i heddi. Ble ma'ch ci?"

"Ma' fe wedi marw."

"Ow, mae'n flin 'da fi. Siŵr bo' chi'n gweld 'i eisie fe, 'wy'n cofio mor ffond o fe o' chi."

"Gadewes i'r ffatri er mwyn edrych ar ôl Mostyn."

"Wel, nawr 'te Tim. Os 'ych chi'n mo'yn dod 'nôl, falle gallwn i gael gair 'da Mr Gosling."

"Dim diolch. Smo fi'n bwriadu mynd 'nôl i'r ffatri 'na. Bore da, Miss Bowen."

Aeth Tim yn ôl i'r tŷ i goginio'r cig moch roedd e wedi'i brynu. Ac wedyn bant ag ef tua'r eglwys gyda'r cig a chlymyn Mostyn.

Aeth i eistedd ar y fainc lle gwelsai'r ci du. A chyn hir dyma fe'n dod. Yn bendant roedd e wedi newid. Roedd e'n sioncach, yn fwy cyfeillgar. Estynnodd Tim y cig iddo. Porthodd y ci du'n awchus gan siglo'i gwt yn siriol. Yn gyfrwys, rhoes Tim y clymyn am ei wddf. Dim gwrthwynebiad o gwbl!

"Dere 'te," meddai Tim ar ôl i'r ci orffen ei saig. Siglodd ei gwt a cherdded yn dalog wrth ochr Tim, fel hen ffrind.

Yn y tŷ aeth y ci o gwmpas i wynto popeth â chwilfrydedd. Yna aeth i eistedd yng ngwely Mostyn fel brenin.

"Fyddi di fawr o dro yn setlo," meddai Tim, a deimlai'n hapus iawn.

Trwy'r dydd bu'r ci'n lân ac yn dawel. Roedd Tim wedi penderfynu ei gadw fe.

Cyn mynd i'r gwely gadawodd Tim ddrws cefn y tŷ ar agor rhag ofn i'r ci ddewis dianc, neu os oedd angen iddo fynd i'r ardd i wlychu. Doedd Tim ddim yn siŵr a oedd y ci yn meddwl aros neu beidio eto. Doedd dim perygl gadael y drws yn agored, doedd neb yn debygol o gael croeso i'r tŷ gyda'r ci du beth bynnag.

"Nos da," meddai Tim, "rhaid i mi feddwl am enw i ti yfory, os wyt ti 'ma."

Siglodd y ci ei gwt ac roedd Tim yn siŵr ei fod yn gwenu.

* * *

"Rwyt ti wedi gadael pethau'n rhy hwyr rhy hwyr Tim does dim gobaith i ti ti'n fethiant Tim ymhob ystyr yn fethiant llwyr weithiau fe fyddi di'n meddwl fod pawb yn d'erbyn di pawb yn dy gasáu pawb am dy waed di pawb â'i gyllell yn dy gefn di ond does neb yn meddwl amdanat ti o gwbl neb ond y fi neb yn meddwl amdanat ti neb yn meddwl amdanat ti neb neb neb dim ond fi. . ."

Peidiodd y llais wrth i Tim agor ei lygaid. Roedd e wedi deffro'n fore, roedd hi'n dal yn dywyll. Teimlodd rywbeth ar y gwely. Roedd y ci du wedi dod lan i gysgu ar y gwely. Yn gysglyd o hyd, estynnodd Tim ei law i fwytho'r ci, a theimlodd rywbeth gwlyb.

Cynheuodd y golau. Nid y ci du oedd dan ei law ond corff Mostyn – corff marw Mostyn yn waed ac yn bridd ac yn gynrhon i gyd.

Wrth erchwyn y gwely safai'r ci du. Edrychodd Tim i ddyfnderoedd y llygaid bach coch. Ac yna fe glywodd y llais unwaith eto.

Hefyd gan Mihangel Morgan

SAITH PECHOD MARWOL

Cyfrol o straeon cynnil, ffraeth, ffres ac amlhaenog am gymeriadau pechadurus...

Rhestr Fer Llyfr y Flwyddyn 1994

0 86243 304 5

£5.95

DAN GADARN GONCRIT

Nofel ddirgelwch yn frith o gymeriadau gwahanol a gwallgo ac yn cynnig sylwebaeth graff ar natur ein bywyd cyfoes Cymraeg a Chymreig.

Rhestr Fer Llyfr y Flwyddyn 2000

£7.95

I ymddangos yn fuan:

DIRGEL DDYNES

Dilyniant i'r nofel *Dirgel Ddyn!*

ac hefyd

CREISION HUD

Cyfrol o gerddi byrlymus i'r ifanc

Am restr gyflawn o gyhoeddiadau'r Lolfa, mynnwch gopi o'n Catalog newydd, rhad — neu hwyliwch i mewn i **www.ylolfa.com**!